1580242763

中华人民共和国电力行业标准

直流换流站施工图设计
内容深度规定

Regulations for content and depth of detail
design of HVDC converter station

DL/T 5503—2015

主编部门：电力规划设计总院
批准部门：国 家 能 源 局
施行日期：2015年12月1日

中国计划出版社

2015 北 京

国 家 能 源 局

公 告

2015 年　第 4 号

依据《国家能源局关于印发〈能源领域行业标准化管理办法（试行）〉及实施细则的通知》（国能局科技〔2009〕52 号）有关规定，经审查，国家能源局批准《压水堆核电厂用不锈钢　第 40 部分：推内构件用奥氏体不锈钢锻件》等 133 项行业标准，其中能源标准（NB）58 项和电力标准（DL）75 项，现予以发布。

附件：行业标准目录

国家能源局
2015 年 7 月 1 日

附件：

行业标准目录

序号	标准编号	标准名称	代替标准	采标号	批准日期	实施日期
………						
125	DL/T 5503—2015	直流换流站施工图设计内容深度规定			2015-07-01	2015-12-01
………						

前　言

根据《国家能源局关于下达 2011 年第二批能源领域行业标准制(修)订计划的通知》(国能科技〔2011〕252 号)的要求,标准编制组经广泛调查研究,认真总结直流换流站施工图设计工作经验,并在广泛征求意见的基础上,制订本标准。

本标准共分为 7 章,主要内容包括:总则、施工图设计总说明、电气一次、二次部分、土建、水工及消防和采暖通风及空调。

本标准由国家能源局负责管理,由电力规划设计总院提出,由能源行业电网设计标准化技术委员会负责日常管理,由中国电力工程顾问集团中南电力设计院有限公司负责具体技术内容的解释。执行过程中如有意见或建议,请寄送电力规划设计总院(地址:北京市西城区安德路 65 号,邮政编码:100120)。

本标准主编单位、主要起草人和主要审查人:

主 编 单 位:中国电力工程顾问集团中南电力设计院有限公司

主要起草人:谢　龙　梁言桥　李　苇　张先伟　李　倩
　　　　　　杜明军　陈　俊　饶　冰　王　锋　王国兵
　　　　　　毛永东　高　湛　杨金根　王丽杰　曹　萍
　　　　　　袁翰笙　陈　念

主要审查人:方　静　颜士海　陈志蓉　陈海焱　谭启斌
　　　　　　鲁景星　杨　宗　乐党救　许玉香　冯仁德
　　　　　　何　民　孔志达　原会静　姚国生　高亚平

目　　次

1　总　　则 ……………………………………………………… （1）

2　施工图设计总说明 …………………………………………… （2）

3　电气一次 ……………………………………………………… （3）

　3.1　施工图设计说明及主要设备材料清册 …………………… （3）

　3.2　电气主接线及电气总平面布置 …………………………… （3）

　3.3　交流配电装置 ……………………………………………… （4）

　3.4　换流变压器 ………………………………………………… （8）

　3.5　交流变压器 ……………………………………………… （10）

　3.6　交流滤波器及并联电容器 ……………………………… （12）

　3.7　高压并联电抗器 ………………………………………… （13）

　3.8　低压无功补偿装置 ……………………………………… （15）

　3.9　阀厅电气设备布置及安装 ……………………………… （16）

　3.10　油浸式平波电抗器 ……………………………………… （19）

　3.11　直流配电装置 …………………………………………… （20）

　3.12　直流滤波器 ……………………………………………… （22）

　3.13　站用电系统 ……………………………………………… （23）

　3.14　直击雷保护 ……………………………………………… （26）

　3.15　接地 ……………………………………………………… （27）

　3.16　照明及屋内动力 ………………………………………… （29）

　3.17　电缆 ……………………………………………………… （30）

4　二次部分 …………………………………………………… （32）

　4.1　施工图设计说明及主要设备材料清册 ………………… （32）

　4.2　公用部分 ………………………………………………… （33）

　4.3　系统保护及二次线 ……………………………………… （35）

  4.4 调度自动化 ·················· （39）

  4.5 计算机监控系统 ·············· （41）

  4.6 直流控制保护系统 ············ （41）

  4.7 元件保护及二次线 ············ （48）

  4.8 直流电源及 UPS 交流不间断电源系统 ··· （52）

  4.9 辅助系统 ···················· （55）

  4.10 通信 ······················· （58）

5 土 建 ····························· （65）

  5.1 施工图设计说明 ·············· （65）

  5.2 征地图 ······················ （66）

  5.3 总平面及竖向布置 ············ （67）

  5.4 站区电缆沟及管沟 ············ （71）

  5.5 站区道路及搬运轨道 ·········· （71）

  5.6 站区围墙、挡土墙及护坡 ······ （73）

  5.7 建筑物建筑设计 ·············· （74）

  5.8 建筑物结构设计 ·············· （80）

  5.9 变压器、电抗器基础及防火墙 ··· （87）

  5.10 构支架基础及设备基础 ······· （88）

  5.11 构支架（含独立避雷线塔或独立避雷针） ··· （91）

  5.12 水工构筑物 ················· （96）

  5.13 降噪设施 ··················· （98）

  5.14 站区地基处理 ··············· （100）

6 水工及消防 ······················· （102）

  6.1 施工图设计说明及主要设备材料清册 ··· （102）

  6.2 站区室外给排水 ·············· （102）

  6.3 室内给排水 ·················· （105）

  6.4 综合水泵房及水池安装图 ······ （106）

  6.5 阀冷却系统 ·················· （108）

  6.6 变压器及平波电抗器消防系统 ··· （111）

6.7 站内消防设施配置图 ·············· (112)

6.8 站用水源 ·············· (113)

6.9 油罐区油系统 ·············· (115)

7 采暖通风及空调 ·············· (117)

7.1 施工图设计说明及主要设备材料清册 ·············· (117)

7.2 采暖系统 ·············· (117)

7.3 通风及空调 ·············· (120)

本标准用词说明 ·············· (123)

Contents

1 General provisions ·· (1)

2 General construction description ····················· (2)

3 Primary electrical ······································· (3)

  3. 1 Construction description and main equipment and material list ·································· (3)

  3. 2 Electrical circuit connection and general layout plan ········· (3)

  3. 3 AC switchgear ··································· (4)

  3. 4 Converter transformer ···························· (8)

  3. 5 AC transformer ································· (1 0)

  3. 6 AC filter and shunt capacitor ···················· (1 2)

  3. 7 Shunt reactor ·································· (1 3)

  3. 8 Reactive power compensation ····················· (1 5)

  3. 9 Valve hall plan and installation ·················· (1 6)

  3. 10 Smoothing reactor ······························ (1 9)

  3. 11 DC switchgear ································· (2 0)

  3. 12 DC filter ······································ (2 2)

  3. 13 AC station service ····························· (2 3)

  3. 14 Lightning protection ···························· (2 6)

  3. 15 Grounding ····································· (2 7)

  3. 16 Lighting and power system ······················ (2 9)

  3. 17 Cable ··· (3 0)

4 Secondary system ··· (3 2)

  4. 1 Construction description and main equipment and material list ······························· (3 2)

4. 2 General secondary part ················· (3 3)

4. 3 System protection and secondary wiring ················· (3 5)

4. 4 Dispatching automation system ················· (3 9)

4. 5 Monitoring and control system ················· (4 1)

4. 6 HVDC control and protection system ················· (4 1)

4. 7 Component protection and secondary wiring ················· (4 8)

4. 8 DC power supply and uninterruptable power
     system(UPS) ················· (5 2)

4. 9 Auxiliary system ················· (5 5)

4. 10 Communication ················· (5 8)

5 Civil works ················· (6 5)

5. 1 Construction description ················· (6 5)

5. 2 Boundary ················· (6 6)

5. 3 Layout and vertical arrangement ················· (6 7)

5. 4 Layout of cable trench and pipe ················· (7 1)

5. 5 Road and rail ················· (7 1)

5. 6 Fence and retaining wall, slope ················· (7 3)

5. 7 Architecural design for buildings ················· (7 4)

5. 8 Structural design for buildings ················· (8 0)

5. 9 Transformer and reactor foundation and
     fireproofing wall ················· (8 7)

5. 10 Foundation of gantry, support and equipment ················· (8 8)

5. 11 Structure of gantry and equipment support(including
      lightning wire tower and lightning rod) ················· (9 1)

5. 12 Hydraulic structure ················· (9 6)

5. 13 Noise reduction facilities ················· (9 8)

5. 14 Foundation treatment ················· (100)

6 Hydraulic and fire protection ················· (102)

6. 1 Construction description and main equipment

and material list ·································· (102)

6. 2　Outdoor water supply and drainage piping ················· (102)

6. 3　Indoor water supply and drainage piping ····················· (105)

6. 4　Comprehensive pumphouse and water storage basin ········· (106)

6. 5　Valve cooling system ·································· (108)

6. 6　Transformer and reactor fire suppression system ············ (111)

6. 7　Fire safety facilities and equipment of the station ············ (112)

6. 8　Source of water supply for station ························ (113)

6. 9　Oil storage and supply system of station ···················· (115)

7　Heating ventilation and air conditioning ················· (117)

7. 1　Construction description and main equipment
and material list ································ (117)

7. 2　Heating system ·································· (117)

7. 3　Ventilation and air conditioning system ··················· (120)

Explanation of wording in this code ························ (123)

1 总　　则

1.0.1 为了规范换流站施工图设计内容深度，使换流站的设计符合国家的有关政策、法规，达到安全可靠、先进适用、经济合理、环境友好的要求，制定本标准。

1.0.2 本标准适用于±800kV 及以下电压等级直流换流站新建及改、扩建工程的施工图设计。

1.0.3 换流站的施工图设计应结合工程特点，积极慎重地采用具备应用条件的新技术、新设备、新材料、新工艺。

1.0.4 换流站的施工图设计除应执行本标准外，尚应符合国家现行有关标准的规定。

1.0.5 各专业施工图设计文件一般包括图纸目录、施工图设计说明、设计图纸、主要设备及材料清册。

1.0.6 本标准只对设计内容深度做出要求，不作为各设计单位内部分工和卷册划分的依据。

2 施工图设计总说明

2.0.1 施工图设计总说明内容包括工程项目施工图设计总体说明和卷册总目录。

2.0.2 施工图设计总说明深度应符合下列规定：

  1 施工图总说明应包括工程项目施工图设计的总体情况，初步设计审批意见在施工图设计中的执行情况，设计方案变更及其落实情况，应特别注意的问题等；

  2 卷册目录应列出本工程各专业施工图全部卷册目录。

3 电 气 一 次

3.1 施工图设计说明及主要设备材料清册

3.1.1 施工图设计说明及主要设备材料清册内容包括电气一次施工图设计说明、卷册目录和主要设备材料清册。

3.1.2 施工图设计说明及主要设备材料清册深度应符合下列规定：

 1 电气一次施工图设计说明应包括下列内容：

 1)列出主要设计依据,工程建设规模;

 2)明确设计范围,改、扩建工程应说明原工程规模和本期工程范围以及接口情况;

 3)说明初步设计审批意见的执行情况;

 4)若有过渡方案,应说明原因及过渡措施;

 5)列出采用的主要交直流设备型号、参数及中标厂家;

 6)采用新技术、新设备、新材料、新工艺时,应详细说明技术特性,使用要求及其他注意事项;

 7)说明与成套设计以及相关专业的划分界限、接口要求;

 8)提出施工中需特别注意的问题。

 2 卷册目录应列出电气一次施工图卷册目录,包括所有分册的名称和编号。

 3 主要设备材料清册应列出施工图所有电气一次设备的名称、型号及规格、单位、数量及供货商,标明主要材料的规格及数量。

3.2 电气主接线及电气总平面布置

3.2.1 图纸内容包括电气主接线图、电气总平面布置图。

3.2.2 图纸深度应符合下列规定:

1 电气主接线图应完整表示换流站电气接线,包括工程的前期、本期及远景接线,具体包括以下内容:

1)交流配电装置、无功补偿及交流滤波器、换流变压器、阀组、直流配电装置以及交、直流 PLC/RI 滤波器电气装置的电气接线形式及设备配置,对工程的前期、本期及远景应加以区分;

2)交流配电装置进出线回路名称、编号、排列、相序,阀厅及直流配电装置直流极线编号、极性;

3)各变压器的中性点接地方式及联接组别;

4)设备型号及参数,并应按安装单位编码原则标注编码;

5)母线编号及导体的型号;

6)站外电源接线配置。

2 电气总平面布置图应完整表示换流站电气布置,包括工程的前期、本期及远景布置,具体包括以下内容:

1)主要电气设备、站区建(构)筑物、电缆沟(隧)道、避雷针(线)、轨道及道路等的布置;

2)各级电压交流配电装置的间隔配置及进出线排列,母线和进出线应标注相序;

3)换流变压器及阀塔排列、相序,直流出线名称及极性;

4)主要位置尺寸;

5)指北针、图例及说明。

3.3 交流配电装置

3.3.1 图纸内容包括卷册说明、配电装置电气接线图、配电装置平断面图、设备安装图、金具组装和连接加工安装图、绝缘子串组装图、箱体安装图、设备材料汇总表。本节内容深度规定适用于高压直流换流站交流配电装置及交流滤波器配电装置(不包括交流滤波器围栏内设备)。

3.3.2 图纸深度应符合下列规定:

1 卷册说明应包括下列内容：

   1) 说明配电装置建设规模、本卷册包含内容及与其他卷册的分界点；

   2) 说明配电装置布置特点、主要设备形式及安装要求，导线挂线施工要求，分裂导线次挡距要求，硬导体挠度及安装要求；

   3) 说明金具选择、设备接地要求、安装构件防腐要求等。

2 配电装置电气接线图应与主接线中设备、导体的型号、参数一致，详细标注各间隔名称、相序、母线编号等。当采用气体绝缘封闭组合电器时增加 SF_6 气室分隔图。

3 配电装置平面布置图应包括下列内容：

   1) 与总平面中进出线方向一致，按规定标注指北针；

   2) 标注设备、构架、道路、围墙（墙、柱）等中心线之间的距离，标注纵向、横向总尺寸；

   3) 标注各间隔名称、相序、母线编号、母线相序、相间相地距离；

   4) 表示避雷针（线）、电缆沟、端子箱、动力箱、检修箱、汇控柜等位置。

4 配电装置间隔断面图应包括下列内容：

   1) 表示该间隔接线示意图（可不标注设备型号、参数）；

   2) 详细标注设备、构架、道路、围墙（墙、柱）等中心线之间的距离，标注断面总尺寸；

   3) 标注进出线、母线的标高、设备安装支架高度、围墙及其声屏障（若有）高度，需要时标注设备高度；

   4) 标注各种必要的安全净距校验，包括设备带电部分与运输通道、相邻构筑物、相邻带电体等的安全净距，如有必要应增加安全净距校验图；

   5) 列出软导线跨线"温度—弧垂—张力"关系的放线表或数据表，标注跨线最大弧垂、高跨引下线控制矢高；

6）标注设备、导体、绝缘子、金具等的编号,并应与设备材料表对应;

7）设备材料应注明编号、名称、型号及规格、单位、数量及备注。

5 母线断面图应包括下列内容:

1）详细标注设备、构架、支架等中心线之间的距离,标注断面总尺寸,尺寸标注应与平面图一致;

2）标注各种必要的安全净距校验,包括设备带电部分与运输通道、相邻构筑物、相邻带电体等的安全净距;

3）当采用支持式管母线时,应标注母线高度、母线固定支持金具、母线滑动支持金具、母线伸缩线夹、母线避雷器、母线电压互感器、母线接地器、隔离开关静触头安装位置;

4）当采用悬吊式管母线时,应标注母线架构高度、母线悬吊高度、母线连接金具、母线避雷器、母线电压互感器、母线接地器、隔离开关静触头安装位置;

5）当采用软母线时,应标注母线架构高度、软母线耐张串悬挂高度、母线避雷器、母线电压互感器、母线 T 型线夹安装位置,反映软导线跨线"温度—弧垂—张力"关系的放线表或数据表,标注跨线最大弧垂及跳线弧垂;

6）当采用厂家成套设备时,应在图中标注接地点、接地连接要求、母线（或 GIS 管道）安装位置、纵横向定位尺寸等,并应明确电缆屏蔽等要求;

7）当采用管母线时,应说明管母线连接及安装的特殊措施及要求;

8）设备材料应注明编号、名称、型号及规格、单位、数量及备注。

6 设备安装图应包括下列内容:

1）表示设备外形及尺寸;

2）详细标注设备基础、设备支架高度;

3）标注设备底部安装孔孔径及孔间距；

4）表示一次接线板材质、外形尺寸（含厚度）、孔径及孔间距；

5）说明安装件的加工要求，表示设备接地引线安装要求，对于有二次电缆进入的设备应表示二次电缆位置；

6）若有特殊要求的，应在图中特别说明；

7）安装材料表应注明编号、名称、型号及规格、单位、数量及备注，所需材料按设备数量成套统计。

7　金具组装和连接加工安装图应包括下列内容：

1）管母线金具组装图应表示各个部件的规格、安装关系，连接加工安装图应注明衬管规格、长度、焊接要求等；

2）非标准金具大样图应标注金具外形尺寸、重量、材质及电压、电流应用要求；应标注接线板材质、外形尺寸（含厚度）、孔径及孔间距。

8　绝缘子串组装图应包括下列内容：

1）表示所需的绝缘子片及连接金具，并表示绝缘子片及连接金具的组装长度，如有必要应表示各连接金具详图，给出各金具详细尺寸及开孔要求；

2）材料表中应注明绝缘子片及连接金具的型号、参数、单位、数量、重量，组装图中绝缘子片及连接金具的编号应与材料表中一一对应。

9　箱体安装图应详细标注箱体基础、外形尺寸、安装尺寸、安装方式及所用材料，并应表示接地引线。

10　设备材料汇总表应按间隔开列设备及材料并汇总，并注明名称、型号及规格、单位、数量及备注。对已采购的设备材料应注明生产厂商。

3.3.3　计算内容包括导体力学计算、导体及设备选择计算、电气安全净距校验计算。具体工程可视需要增减，计算结果主要用于专业提资配合。计算书底稿不列入设计文件，一般只引述计算条件和计算结果，但必须存档妥善保存，以备查用。

3.3.4 计算深度应符合下列规定：

1 导体力学计算应包括下列内容：

1）支持式管母线力学计算应分别计算在正常状态、短路状态、地震状态时管母线所承受的最大弯矩和应力；计算管母线的挠度，计算、校验支柱绝缘子的最大荷载；

2）悬吊式管母线力学计算应分别计算在正常状态、短路状态、地震状态时管母线所承受的最大弯矩和应力；计算管母线的挠度，计算 V 型串的位移、风偏、拉力；

3）软导线力学计算应计算在最高温度、最大荷载、最大风速、最低温度、三相（单相）上人检修等对应环境温度下的水平拉力、导线弧垂、支座反力等；计算各种环境温度条件下的水平拉力、导线弧垂、导线长度。

2 导体及电器参数选择计算。对初步设计阶段计算未能覆盖或因特殊原因增加的部分根据需要进行必要的补充计算，计算内容应包含导体及电器主要参数的选择依据。

3 电气安全净距校验计算。非正常环境条件下的交流配电装置，如高海拔、高环境温度等计算交流配电装置不同电位点带电体对地及相互之间的电气安全净距。

3.4 换流变压器

3.4.1 图纸内容包括卷册说明、换流变压器电气接线图、换流变压器平（断）面布置图、换流变压器安装图、其他设备安装图、箱体安装图、绝缘子串组装图、管母线金具组装和连接加工安装图、设备材料汇总表。本节内容深度适用于换流变压器、换流变压器网侧引线以及防火墙上设备，包括交流 PLC/RI 滤波器设备（若有）。

3.4.2 图纸深度应符合下列要求：

1 卷册说明应包括下列内容：

1）说明该电压等级建设规模、本卷册包含内容及与其他卷

册的分界点、金具选择、导线安装方式、设备接地要求、构支架防腐要求等;

2)当装设设备状态监测装置时,应说明与相关专业的配合要求。

2 换流变压器电气接线图应与主接线中设备、导体的型号、参数一致。

3 换流变压器平面布置图应包括下列内容:

1)与总平面中换流变压器场地平面布置图一致,按规定标注指北针;

2)详细标注设备、构架、道路、轨道、换流变压器器身、基础、油坑、防火墙、中性点母线等中心线之间的距离,标注纵向、横向总尺寸;

3)详细标注换流变压器各级套管定位尺寸、引线挂线点定位尺寸、各附属设备的定位尺寸;

4)详细标注换流变压器编号、相序、相间相地距离。

4 换流变压器断面图应包括下列内容:

1)详细标注设备、构架、道路、换流变压器器身、基础、油坑、防火墙、中性点母线等中心线之间的距离,标注断面总尺寸,标注安全净距;

2)标注换流变压器及各级套管、防火墙、各中性点设备、中性点母线等设备和支架高度;

3)列出软导线跨线"温度—弧垂—张力"关系的放线表或数据表(也可单独出图),标注跨线最大弧垂;

4)设备材料表应注明编号、名称、型号及规格、单位、数量及备注。

5 换流变压器安装图应包括下列内容:

1)根据厂家资料标注变压器外形尺寸、重量,详细标注换流变压器基础与油坑中心的相对位置,绘制变压器器身固定方式,表示千斤顶和变压器搬运小车相关信息,表示一次接线板材质、外形尺寸（含厚度）、孔径及孔间距；示出电缆埋管或留孔位置，表示器身、铁心夹件接地位置及接地线安装要求；表示换流变压器降噪设施；

　　2）设备材料表应注明编号、名称、型号及规格、单位、数量及备注。

　　6　其他设备安装图应符合本标准第 3.3.2 条第 6 款的规定。

　　7　管母线金具组装和连接加工安装图应符合本标准第 3.3.2 条第 7 款的规定。

　　8　绝缘子串组装图应符合本标准第 3.3.2 条第 8 款的规定。

　　9　箱体安装图应符合本标准第 3.3.2 条第 9 款的规定。

　　10　设备材料汇总表应开列设备及材料并汇总，并注明名称、型号及规格、单位、数量及备注。对已采购的设备材料应注明生产厂商。

3.4.3　计算内容应符合本标准第 3.3.3 条的规定。

3.4.4　计算深度应符合本标准第 3.3.4 条的规定。

3.5　交流变压器

3.5.1　图纸内容包括卷册说明、交流变压器电气接线图、交流变压器平断面布置图、交流变压器安装图、其他设备安装图、设备材料汇总表。

3.5.2　图纸深度应符合下列规定：

　　1　卷册说明应包括下列内容：

　　1）说明该电压等级建设规模、本卷册包含内容及与其他卷册的分界点、金具选择、导线安装方式、设备接地要求、安装构件防腐要求等；

　　2）当装设设备状态监测装置时，应说明与相关专业的配合要求。

　　2　交流变压器电气接线图应与电气主接线图中设备、导体的型号、参数一致。

3 交流变压器平面布置图应包括下列内容：

　　1) 与总平面中交流变压器场地平面布置图一致,按规定标注指北针;

　　2) 详细标注设备、构架、道路、交流变压器器身、基础、油坑、防火墙、中性点设备及母线等中心线之间的距离,标注纵向、横向总尺寸;

　　3) 详细标注交流变压器各级套管定位尺寸、引线挂线点定位尺寸、各附属设备的定位尺寸;

　　4) 详细标注交流变压器编号、相序、相间相地距离。

4 交流变压器断面图应包括下列内容：

　　1) 详细标注设备、构架、道路、交流变压器器身、基础、油坑、防火墙、中性点设备及母线等中心线之间的距离,标注断面总尺寸,标注安全净距;

　　2) 标注交流变压器及各级套管、防火墙、各中性点设备、中性点母线等设备和支架高度;

　　3) 列出软导线跨线"温度—弧垂—张力"关系的放线表或数据表(也可单独出图),标注跨线最大弧垂;

　　4) 设备材料表应注明编号、名称、型号及规格、单位、数量及备注。

5 交流变压器安装图应包括下列内容：

　　1) 根据厂家资料标注变压器外形尺寸、重量,详细标注交流变压器基础与油坑中心的相对位置,绘制变压器器身固定方式,表示一次接线板材质、外形尺寸(含厚度)、孔径及孔间距;示出电缆埋管或留孔位置,表示器身、铁心夹件接地位置及接地线安装要求;

　　2) 设备材料应注明编号、名称、型号及规格、单位、数量及备注。

6 其他设备安装图应符合本标准第3.3.2条第6款的规定。

7 设备材料汇总表应按变压器开列设备及材料并汇总,并注明名称、型号及规格、单位、数量及备注。对已采购的设备材料应注明生产厂商。

3.5.3 计算内容应符合本标准第 3.3.3 条的规定。

3.5.4 计算深度应符合本标准第 3.3.4 条的规定。

3.6 交流滤波器及并联电容器

3.6.1 图纸内容包括卷册说明、交流滤波器及并联电容器接线图、交流滤波器及并联电容器平断面布置图、设备安装图、金具组装和连接加工安装图、设备材料汇总表。本节适用于高压直流换流站交流滤波器及并联电容器小组围栏内设备接线、布置及安装设计。

3.6.2 图纸深度应符合下列规定：

1 卷册说明应说明交流滤波器或并联电容器小组的建设规模、本卷册包含内容及与其他卷册的分界点；应列出交流滤波器或并联电容器小组带电体对地及相互之间的最小空气净距；应说明导线及金具选择、设备接地要求、安装构件防腐要求等。

2 交流滤波器及并联电容器接线图应与主接线中设备、导体的型号、参数一致，详细标注各设备名称及编号等。

3 交流滤波器及并联电容器平面布置图应包括下列内容：

  1) 表示该类型交流滤波器及并联电容器接线示意图（可不标注设备型号、参数）；

  2) 与总平面中进出线方向一致，按规定标注指北针；

  3) 标注设备、支架、围栏等中心线之间的距离，标注纵向、横向总尺寸；

  4) 标注各相设备名称、相序、相间距；

  5) 对于干式空芯电抗器应标注防磁范围；

  6) 设备材料表应注明编号、名称、型号及规格、单位、数量及备注。

4 交流滤波器及并联电容器断面图应包括下列内容：

1）断面应完备，能明确表示各设备间连接；

2）各断面应详细标注设备、支架、围栏等中心线之间的距离，标注断面总尺寸；

3）各断面应标注管型母线的标高、设备安装支架高度，需要时标注设备高度；

4）各断面应标注各种必要的安全净距。

5　设备安装图应包括下列内容：

1）干式空心电抗器应明确防磁范围以及接地要求；

2）其他要求应符合本标准第3.3.2条第6款的规定。

6　金具组装和连接加工安装图符合本标准第3.3.2条第7款的规定。

7　设备材料汇总表应按小组开列设备及材料并汇总，并注明名称、型号及规格、单位、数量及备注。对已采购的设备材料应注明生产厂商。

3.6.3　计算内容包括导体力学计算、导体及设备选择计算、交流滤波器最小空气净距计算。具体工程可视需要增减。计算书底稿不列入设计文件，一般只引述计算条件和计算结果，但必须存档妥善保存，以备查用。

3.6.4　计算深度应符合下列规定：

1　导体力学计算应符合本标准第3.3.4条第1款的规定；

2　导体及设备选择计算应符合本标准第3.3.4条第2款的规定；

3　交流滤波器最小空气净距计算应计算交流滤波器不同电位点带电体对地及相互之间的最小空气净距，若有成套设计报告，应引述其计算结论。

3.7　高压并联电抗器

3.7.1　图纸内容包括卷册说明、高压并联电抗器电气接线图、高压并联电抗器安装平断面布置图、高压电抗器安装图、中性点电抗器安装图、其他设备安装图、金具组装和连接加工安装图、端子箱和汇控箱等安装图、设备材料汇总表。

3.7.2 图纸深度应符合下列规定:

    1 卷册说明应包括下列内容:

        1)说明该卷册建设规模、本卷册包含内容及与其他卷册的分界点、金具选择、设备接地要求、构支架防腐要求等;

        2)当装设设备状态监测装置时,应说明与相关专业的配合要求。

    2 高压并联电抗器电气接线图应与主接线中设备、导体的型号、参数一致。

    3 高压并联电抗器安装平面布置图应包括下列内容:

        1)与总平面中高压并联电抗器平面布置图一致,按规定标注指北针;

        2)详细标注并联电抗器器身、基础、油坑、防火墙、汇流母线等中心线之间的距离,标注其他设备、构架、道路、电缆沟中心位置,应标注纵向、横向总尺寸;标注并联电抗器编号、套管相序,标注电抗器控制箱位置。

    4 高压并联电抗器安装断面图应包括下列内容:

        1)在各断面图中示意各断面接线图(可不标注设备型号、参数);

        2)详细标注设备、构架、道路、围墙、电抗器器身、电抗器油坑、防火墙、汇流母线等中心线之间的距离和安装高度,标注断面总尺寸,标注安全净距;

        3)反映软导线跨线温度—弧垂—张力关系的放线表,标注跨线最大弧垂;

        4)安装材料表应注明编号、名称、型号及规格、单位、数量及备注,有特殊要求的,可在备注栏加以说明。

    5 高压并联电抗器安装图应包括下列内容:

        1)根据厂家资料标注高压并联电抗器外形尺寸、重量,详细标注高抗基础与油坑中心的相对位置,绘制高抗器身固定方式,表示一次接线板材质、外形尺寸(含厚度)、孔径及孔间距;示出二次电缆埋管要求;

2) 设备材料表应注明编号、名称、型号及规格、单位、数量及备注。

6 中性点电抗器安装图应包括下列内容:

1) 根据厂家资料标注中性点电抗器外形尺寸、重量,详细标注中性点电抗器基础与油坑中心的相对位置,绘制中性点电抗器器身固定方式,表示一次接线板材质、外形尺寸(含厚度)、孔径及孔间距;示出二次电缆埋管要求;

2) 设备材料表应注明编号、名称、型号及规格、单位、数量及备注。

7 其他设备安装图应符合本标准第3.3.2条第6款的规定。

8 金具组装和连接加工安装图应符合本标准第3.3.2条第7款的规定。

9 端子箱和汇控箱等安装图应符合本标准第3.3.2条第9款的规定。

10 设备材料汇总表应符合本标准第3.3.2条第10款的规定。

3.7.3 计算内容应符合本标准第3.3.3条的规定。

3.7.4 计算深度应符合本标准第3.3.4条的规定。

3.8 低压无功补偿装置

3.8.1 图纸内容包括卷册说明、无功补偿装置接线图、无功补偿装置平断面图、无功补偿装置安装及基础图、设备安装图、金具组装和连接加工安装图、设备材料汇总表。适用于换流站内电压为35(或66)kV电抗器装置、成套并联电容器的布置及安装设计。

3.8.2 图纸深度应符合下列规定:

1 卷册说明应说明该卷册建设规模、本卷册包含内容及与其他卷册的分界点、金具选择、设备接地要求、安装构件防腐要求等。

    2   无功补偿装置接线图应与主接线中设备、导体的型号、参数一致,详细标注各间隔名称、设备编号等。

    3   无功补偿装置平断面图应包括下列内容:

      1)与总平面中并联补偿装置平面布置图一致,按规定标注指北针;详细标注设备、支架、围栏、电容器、油坑等中心线之间的距离,标注纵向、横向总尺寸;详细标注设备名称、相间距、相序;

      2)并联补偿装置断面图应详细标注设备、支架、围栏、电容器等中心线之间的距离,标注断面总尺寸,标注安全净距;应表示接线示意图(可不标注设备型号、参数);对于干式空芯电抗器应标注防磁范围;

      3)安装材料表应注明编号、名称、型号及规格、单位、数量及备注,有特殊要求的,可在备注栏加以说明。

    4   无功补偿装置安装及基础图应符合本标准第3.3.2条第6款的规定。

    5   金具组装和连接加工安装图应符合本标准第3.3.2条第7款的规定。

    6   设备材料汇总表应按装置开列设备及材料并汇总,对已采购的设备应注明生产厂商;设备安装所需材料按设备数量成套统计。

3.8.3   计算内容应符合本标准第3.3.3条的规定。

3.8.4   计算深度应符合本标准第3.3.4条的规定。

3.9   阀厅电气设备布置及安装

3.9.1   图纸内容包括卷册说明、阀厅电气接线图、阀厅电气装置平断面布置图、换流阀安装图、其他设备安装图、阀厅金具大样图、管母线金具组装和连接加工安装图、设备材料汇总表。

3.9.2   图纸深度应符合下列规定:

1 卷册说明应包括下列内容：

    1）说明阀厅建设规模、本卷册包含内容及与其他卷册的分界点；

    2）说明与换流阀、换流变压器等厂家成套供货间的接口及分工；

    3）说明阀厅布置特点、主要设备及材料形式及安装要求；

    4）给出阀厅各关键点最小空气净距控制值，有成套设计报告时，应引述其结论；

    5）说明金具选择、设备接地要求和安装构件防腐要求等。

2 阀厅电气接线图应与主接线中设备、导体的型号、参数一致，并详细标注换流变压器与换流阀接线，标明换流变压器联接组别，详细标注设备名称、相序、代号等。

3 阀厅电气装置平面布置图应包括下列内容：

    1）与总平面进出线方向一致，按规定标注指北针；

    2）标注设备、道路、墙（柱）等中心线之间的距离，标注纵向、横向总尺寸；

    3）标注直流双极间隔名称、换流变压器及换流阀相序排列；

    4）标注阀厅主设备的设备代码；

    5）其他有必要的标注和说明。

4 阀厅电气装置断面图应包括下列内容：

    1）表示断面接线示意图（可不标注设备型号、参数）；

    2）详细标注设备、墙体等中心线之间的距离，标注断面总尺寸；

    3）标注进出线、母线、设备悬吊点的标高、设备安装支架高度，需要时标注设备高度；

    4）标注各种必要的安全净距校验，包括设备带电部分与建筑物内墙、巡视通道、相邻带电体等的安全净距；

    5）标注设备、导体、绝缘子、金具等的编号，并应与设备材料表一一对应；

6）设备材料应注明代码、名称、型号、规格、单位、数量及备注。

5 换流阀安装图应包括下列内容：

1）仅表示换流阀对外接口部分的安装，并注明换流阀及其附件的安装应按照厂家安装要求执行；

2）详细标注设备外形尺寸、重量，当换流阀对外接口金具及其连接管母不由厂家成套供货时，还需标注一次接线板材质、外形尺寸（含厚度）、孔径及孔间距；

3）说明阀塔悬吊安装件的接口尺寸。

6 其他设备安装图应包括接地开关、穿墙套管、电流测量装置、避雷器、支柱绝缘子及悬式绝缘子等，图纸深度要求应符合本标准第 3.3.2 条第 6 款的规定。

7 阀厅金具大样图应包括下列内容：

1）标注金具外形尺寸、重量、材质及电压、电流应用要求；

2）标注接线板材质、外形尺寸（含厚度）、孔径及孔间距。

8 管母线金具组装和连接加工安装图应符合本标准第 3.3.2 条第 7 款的规定。

9 设备材料汇总表应列出设备及材料并汇总，对已采购的设备应注明生产厂商；设备安装所需材料按设备数量成套统计。

3.9.3 计算内容应包括导体力学计算、导体及设备选择计算、阀厅最小空气净距计算。具体工程可视需要增减。计算书底稿不列入设计文件，一般只引述计算条件和计算结果，但必须存档妥善保存，以备查用。

3.9.4 计算深度应符合下列规定：

1 导体力学计算应符合本标准第 3.3.4 条第 1 款的规定；

2 导体及设备选择计算应符合本标准第 3.3.4 条第 2 款的规定；

3 阀厅最小空气净距计算应计算阀厅内，各带电体对建筑物及相互之间的最小空气净距，若有成套设计报告，应引述其计算结论。

3.10 油浸式平波电抗器

3.10.1 图纸内容包括卷册说明、平波电抗器平断面布置图、箱体安装图、设备材料汇总表。本内容深度适用于油浸式直流平波电抗器的安装。

3.10.2 图纸深度应符合下列规定：

    1 卷册说明应说明该卷册建设规模、本卷册包含内容及与其他卷册的分界点、金具选择、设备接地要求等。

    2 平波电抗器平面布置图应包括下列内容：

        1）与总平面中平波电抗器平面布置图一致，按规定标注指北针；

        2）详细标注设备、道路、阀厅墙体、电抗器器身、电抗器油坑、防火墙等中心线之间的距离，标注纵向、横向总尺寸。

    3 平波电抗器断面图应包括下列内容：

        1）详细标注平波电抗器、道路、声屏障（若有）、电抗器器身、电抗器油坑、防火墙等中心线之间的距离，标注断面总尺寸，标注安全净距；

        2）设备材料表应注明编号、名称、型号及规格、单位、数量及备注，有特殊要求的，可在备注栏加以说明。

    4 平波电抗器安装图应包括下列内容：

        1）根据厂家资料标注平波电抗器外形尺寸、重量，详细标注平抗基础与油坑中心的相对位置，绘制平抗器身固定方式，表示一次接线板材质、外形尺寸（含厚度）、孔径及孔间距；示出二次电缆通道要求；

        2）设备材料表应注明编号、名称、型号及规格、单位、数量及备注，有特殊要求的，可在备注栏加以说明。

    5 箱体安装图应符合本标准第 3.3.2 条第 9 款的规定。

6 设备材料汇总表应符合本标准第3.3.2条第10款的规定。

3.11 直流配电装置

3.11.1 图纸内容包括卷册说明、直流配电装置电气接线图、直流配电装置平断面布置图、设备安装图、箱体安装图、直流金具图、管母线金具组装和连接加工安装图、设备材料汇总表。直流配电装置包括直流极线、旁路回路、干式平波电抗器、中性线、接地极回路以及金属回路配电装置，不包括直流滤波器。

3.11.2 图纸深度规定应符合下列规定：

 1 卷册说明应包括下列内容：

  1)说明配电装置建设规模、本卷册包含内容及与其他卷册的分界点；

  2)说明配电装置布置特点、主要设备及导体形式及安装要求；

  3)说明金具选择、设备接地要求、安装构件防腐要求等；

  4)列出直流场直流高压及低压各带电体对地及相互之间的最小空气净距。

 2 直流配电装置电气接线图应与主接线中设备、导体的型号、参数一致，详细标注各设备名称、代号等。

 3 直流配电装置平面布置图应包括下列内容：

  1)与总平面中进出线方向一致，按规定标注指北针；

  2)标注设备、构架、道路、墙(柱)体等中心线之间的距离，标注纵向、横向总尺寸；

  3)示意避雷线(针)、电缆沟、端子箱、动力箱、检修箱、汇控柜等位置。

 4 直流配电装置断面图应包括下列内容：

  1)断面应完备，能明确表示各设备间连接；

  2)详细标注设备、构架、道路、墙(柱)体等中心线之间的距

离,标注断面总尺寸;

    3)标注进出线、母线的标高、设备安装支架高度,需要时标注设备高度;

    4)标注各种必要的安全净距校验,包括设备带电部分与运输通道、相邻构筑物、相邻墙(柱)体、相邻带电体等的安全净距;

    5)列出软导线跨线"温度—弧垂—张力"关系的放线表(也可单独出图),标注跨线最大弧垂、高跨引下线控制矢高;

    6)标注设备、导体、绝缘子、金具等的编号,并应与设备材料表一一对应;

    7)设备材料应注明编号、名称、型号及规格、单位、数量及备注。

   5 设备安装图应包括下列内容:

    1)直流配电装置设备包括干式平波电抗器、直流断路器、旁路开关(若有)、隔离开关、直流电压测量装置、直流电流测量装置、PLC 滤波电容器、阻尼电抗器(若有)、阻断滤波器电容器和电抗器(若有)、注流滤波器电容器和电抗器(若有)、穿墙套管(若有)、直流低压耦合电容器(若有)、避雷器、支柱绝缘子等;

    2)干式平波电抗器应明确防磁范围以及接地要求,其他要求应符合本标准第 3.3.2 条第 6 款的规定;

    3)其他设备图纸应符合本标准第 3.3.2 条第 6 款的规定。

   6 箱体安装图应符合本标准第 3.3.2 条第 9 款的规定。

   7 直流金具图应绘制直流配电装置使用的特殊金具大样,给出其外形尺寸、材质以及安装信息等内容。

   8 管母线金具组装和连接加工安装图应符合本标准第 3.3.2 条第 7 款的规定。

   9 设备材料汇总表应符合本标准第 3.3.2 条第 10 款的规定。

3.11.3 计算内容包括导体力学计算、导体及设备选择计算、直流最小空气净距计算。具体工程可视需要增减。计算书底稿不列入设计文件，一般只引述计算条件和计算结果，但必须存档妥善保存，以备查用。

3.11.4 计算深度应符合下列规定：

    1 导体力学计算应符合本标准第 3.3.4 条第 1 款的规定；

    2 导体及设备选择计算应符合本标准第 3.3.4 条第 2 款的规定；

    3 直流最小空气净距计算，应计算直流高压及低压各带电体对地及相互之间的最小空气净距，若有成套设计报告，应引述其计算结论。

3.12 直流滤波器

3.12.1 图纸内容包括卷册说明、直流滤波器接线图、直流滤波器平断面布置图、设备安装图、管母线金具组装和连接加工安装图、设备材料汇总表。

3.12.2 图纸深度应符合下列规定：

    1 卷册说明应说明该类型直流滤波器配电装置的建设规模、本卷册包含内容及与其他卷册的分界点；应列出直流滤波器内各带电体对地及相互之间的最小空气净距；说明导线及金具选择、设备接地要求、安装构件防腐要求等。

    2 直流滤波器接线图应与主接线中设备、导体的型号、参数一致，详细标注各设备名称及编号等。

    3 直流滤波器平面布置图应包括下列内容：

      1）与总平面中进出线方向一致，按规定标注指北针；

      2）标注设备、支架、围栏等中心线之间的距离，标注纵向、横向总尺寸；

      3）标注设备名称；

      4）对于干式空心电抗器应标注防磁范围。

4 直流滤波器断面图应包括下列内容：

    1)断面应完备,能明确表示各设备间连接;

    2)各断面应详细标注设备、支架、围栏等中心线之间的距离,标注断面总尺寸;

    3)各断面应标注管型母线的标高、设备安装支架高度,需要时标注设备高度;

    4)各断面应标注各种必要的安全净距。

5 设备安装图应包括下列内容：

    1)干式空芯电抗器应明确防磁范围以及接地要求;

    2)其他要求应符合本标准第3.3.2条第6款的规定。

6 管母线金具组装和连接加工安装图应符合本标准第3.3.2条第7款的规定。

7 设备材料汇总表应按小组开列设备及材料并汇总,并注明名称、型号及规格、单位、数量及备注。对已采购的设备材料应注明生产厂商。

3.12.3 计算内容包括导体力学计算、导体及设备选择计算、直流滤波器最小空气净距计算。具体工程可视需要增减。计算书底稿不列入设计文件,一般只引述计算条件和计算结果,但必须存档妥善保存,以备查用。

3.12.4 计算深度应符合下列规定：

1 导体力学计算应符合本标准第3.3.4条第1款的规定;

2 导体及设备选择计算应符合本标准第3.3.4条第2款的规定;

3 直流滤波器最小空气净距计算,应计算直流滤波器内,各带电体对地及相互之间的最小空气净距,若有成套设计报告,应引述其计算结论。

3.13 站用电系统

3.13.1 图纸内容包括卷册说明、站用电系统接线图、10kV站用电配置接线图、380V/220V 站用电配置接线图、交流动力箱(屏)及检修电源箱配置接线图、10kV 站用电配电装置平断面图、380V/220V 站用电配电装置平断面图、取自站内站用电电源配电装置平断面图、取自站外站用电电源配电装置平断面图、站用变压器安装图、设备安装图、设备材料汇总表。

3.13.2 图纸深度应符合下列规定:

1 卷册说明应说明该卷册建设规模、本卷册包含内容及与其他卷册的分界点以及站用电系统的运行方式等。

2 站用电系统接线图应绘出各站用变压器引接电源、高压侧、中压侧设备参数、低压侧的接线及运行方式,站用变压器的编号、容量、规格,表示至换流阀内冷、换流阀外冷、阀厅空调、控制楼空调、各动力箱(屏)、照明箱、消防泵等重要负荷的引接方式。

3 10kV 站用电配置接线图应包括下列内容:

1)注明 10kV 配电柜型号及编号、母线编号及规格、开关柜外形尺寸,绘出各段母线回路排列、回路名称、设备的型号规格及参数、电缆编号、电缆型号及规格;

2)当有监控要求时,设备配置应符合相关专业要求。

4 380V/220V 站用电配置接线图应包括下列内容:

1)应注明配电柜型号及编号、母线编号及规格、开关柜外形尺寸,绘出各段母线回路排列、回路名称、设备的型号规格及参数、电缆编号、电缆型号及规格;

2)当有监控要求时,设备配置应符合相关专业要求。

5 交流动力箱(屏)及检修电源箱配置接线图应包括下列内容:

1)标明与动力箱(屏)、检修电源箱连接电缆及编号、电缆型号及规格,绘出馈线中的全部串接回路;

2)注明动力箱(屏)、检修电源箱型号、母线规格,绘出回路排列、名称、容量,回路设备的型号、参数,电缆编号、规格。

6 10kV 站用电配电装置平断面图应包括下列内容：

1）绘出各台配电屏的布置图；

2）断面图中应标出母线桥位置、规格尺寸及相应的支吊架详图；

3）平面布置图中应表示电缆沟布置位置及规格尺寸。

7 380V/220V 站用电室布置平断面图应包括下列内容：

1）绘出各台站用变压器、配电屏的布置图及安装图；

2）断面图中应标出母线桥位置、规格尺寸及相应的支吊架详图。

8 取自站内站用电电源配电装置平断面图应包含取自站内站用电电源接线及平、断面图。本部分其他内容深度应符合本标准 3.3.2 条的规定。

9 取自站外站用电电源配电装置平断面图应包含取自站外站用电电源接线及平、断面图。当进线采用电缆时，应标明站外电源电缆走向示意图。本部分其他内容深度应符合本标准 3.3.2 条的规定。

10 站用变压器安装图应包括下列内容：

1）油浸式变压器安装图应符合本标准第 3.5.2 条第 5 款的规定；

2）干式变压器安装图应符合本标准第 3.3.2 条第 6 款的规定。

11 设备安装图应符合本标准第 3.3.2 条第 6 款的规定。

12 设备材料汇总表应符合本标准第 3.3.2 条第 10 款的规定。

3.13.3 计算内容包括负荷统计、设备选择、导体选择、回路电压降校验、热稳定校验、保护灵敏度校验。

3.13.4 计算深度应符合下列规定：

1 设备、导体选择应根据相关专业提供的负荷资料，进行导体、元器件参数的选择计算；

2 站用电回路的保护配置和导体、电缆规格，应按短路电流水平进行回路电压降、热稳定、保护灵敏度校验。

3.14 直击雷保护

3.14.1 图纸内容包括卷册说明、全站防直击雷保护布置图、建筑物防雷布置图、避雷线安装图、设备材料汇总表。

3.14.2 图纸深度应符合下列规定：

1 卷册说明应包括下列内容：

1）防直击雷设计原则；

2）防直击雷的设计范围及主要内容；

3）避雷针（线）设置方式。

2 全站防直击雷保护布置图应绘出被保护物及避雷针（线）的相对位置尺寸、避雷针（线）编号、高度，并示出其保护范围，列出保护范围计算结果表。

3 建筑物防雷布置图对未在避雷针（线）保护范围内而需要防雷保护的建筑，应绘出建筑物避雷带网格及引下线位置，说明网格大小，安装要求，接地引下线的安装要求。

4 避雷线安装图应绘出避雷线金具的组装图，并表示避雷线的接地方式。

5 设备材料汇总表应符合本标准第 3.3.2 条第 10 款的规定。

3.14.3 计算内容包括避雷针（线）防直击雷保护范围计算、避雷线选择及力学计算。

3.14.4 计算深度应符合下列规定：

1 避雷针（线）防直击雷保护范围计算需进行独立避雷针及构架避雷针数量、位置、针高、保护范围的计算；

2 避雷线选择及力学计算应进行避雷线架构布置、高度、架构受力情况的计算；

3 必要时进行防雷电涌保护器的选择计算。

3.15 接　　地

3.15.1 图纸内容包括卷册说明、全站屋外接地布置图、阀厅接地图、其他建筑物接地布置图、等电位接地网布置图、特殊接地布置图、其他设施接地布置图、主接地网接地体敷设详图、接地体连接加工图、临时接地端子加工制作图、集中接地装置详图、设备材料汇总表。

3.15.2 图纸深度应符合下列规定：

 1 卷册说明应包括下列内容：

  1）接地设计原则、范围及主要内容；

  2）接地体材质及截面选择，包括主接地网、设备接地引下线、等电位接地网等；

  3）各种接地体的设置方式及全站设备支架、架构接地件布置方向；

  4）阀厅、控制楼及其他建筑物接地布置；

  5）接地电阻、地电位升（GPR）、最大接触电势、跨步电压计算值及允许值；因接地电阻无法满足接触电势或跨步电压允许值要求时，应说明解决方法及处理措施。

 2 全站屋外接地布置图应包括下列内容：

  1）主接地网、加强接地网及集中接地装置的水平接地体和垂直接地体的布置，主接地网网格尺寸，换流站大门和控制楼入口处地下的均压措施，以及主接地网的埋设深度和与建筑物、设备的距离要求；

  2）断线卡紧固件连接示意图和铜排（铜电缆）敷设示意图，设备及接地体的图例说明。

 3 阀厅接地图应包括下列内容：

  1）阀厅接地引上点分布图；

  2）阀厅地干线的走向布置，与主接地网的连接点及引接方式；

3）阀厅钢结构接地点及其引接方式；

4）阀厅地面屏蔽网及墙体屏蔽网接地连接点及引接方式。

4 其他建筑物接地布置图应包括下列内容：

1）接地干线的走向布置，与主接地网的连接点及引接方式；

2）建筑物各房间接地母线走向布置，各设备接地方式及要求；

3）等电位接地网布置；

4）地面、墙体及屋面屏蔽网接地要求及引接方式（建筑物有屏蔽要求时）；

5）临时接地端子或接地箱形式和加工制作方法。

5 等电位接地网布置图应根据相关专业要求绘制等电位接地网布置图，并表示各接地点位置及接地材料要求。

6 特殊接地布置图应包含 GIS、HGIS 设备、高土壤电阻率地区等特殊接地方式的接地布置及安装要求。

7 其他设施接地布置图应包含降噪设施、轨道及其他需要接地设施的接地布置及安装要求。

8 主接地网接地体敷设详图应包含主接地网过道路、电缆沟等的敷设要求，以及对接地网敷设层的要求。

9 接地体连接加工图应包含站内所有接地体连接、搭接方法详图。

10 临时接地端子加工制作图应绘制临时接地端子形式和加工制作方法，列出其制作所需材料，说明施工注意事项。

11 集中接地装置详图应绘制集中接地装置布置及安装，包括绘制接地引入集中接地装置连接点详图以及接地体搭接、延长等安装详图。

12 设备材料汇总表应按卷册开列设备及材料并汇总，注明名称、型号及规格、单位、数量及备注。

3.15.3 计算内容包括接地体截面选择计算、接地网接地电阻计算、避雷线分流系数计算、允许接触电势计算、允许跨步电压计算、接地网短路控制地电位计算、接触电势及跨步电压计算。

3.15.4 计算深度应符合下列规定：

　　1 根据工程情况确定接地网材质，进行设备引下线、接地网水平接地体等截面选择计算；

　　2 计算接地网接地电阻、避雷线分流系数、短路地电位、接触电势及跨步电压校验计算等；

　　3 当设计方案不满足要求时，应在考虑采取解决方法及处理措施后再对第 2 条规定的内容进行复核计算。

3.16　照明及屋内动力

3.16.1 图纸内容包括下列内容：

　　1 屋外照明包括卷册说明、屋外照明系统图、屋外照明布置图、设备材料汇总表；

　　2 屋内照明包括卷册说明、照明及动力系统图、控制楼等建筑物各层照明及动力平面图、安全滑触线安装图、设备材料汇总表。

3.16.2 图纸深度应符合下列规定：

　　1 卷册说明应说明本卷册设计范围；照明设计原则，照明网络的接线方式；检修及巡视照明的设置；工作照明箱及事故照明箱的电源引接及管线敷设方式；开关的布置方式，照明灯具接地保护；照明灯、穿管及电缆敷设的图例说明以及施工中注意事项；

　　2 照明系统图应表示工作及事故照明电源系统供电方式及运行方式，表示各配电箱名称、型号、进线回路工作容量、工作电流、开关规格和型号、导体规格和型号等；

　　3 照明布置图应表示照明箱、灯具位置，照明回路、照明灯数量、容量、安装高度、导线和电缆敷设路径、导线根数及截面，穿管及电缆敷设的图例说明。设备材料应注明编号、名称、型号及规格、单位、数量、图例及备注；

4 建筑物各层照明、动力平面图应表示照明、动力箱、灯具及开关、插座位置，照明、动力回路照明灯数量、容量、安装高度、导线和电缆敷设路径、导线根数及截面，穿管及电缆敷设的图例说明；设备材料表设备应注明型号、参数，导线应注明型号、规格等；

5 安全滑触线安装图应详细标注设备、墙（柱）等中心线之间的距离，标注断面总尺寸，电源引接方式，支架布置尺寸等；

6 设备材料汇总表应按建筑物开列灯具及材料并汇总，并注明名称、型号及规格、单位、数量及备注。

3.16.3 计算内容包括照度计算、负荷计算、保护设备选择计算、导体选择计算、保护灵敏度校验。

3.16.4 计算深度应符合下列规定：

1 计算照度，并根据照度计算结果布置灯具；

2 统计计算照明负荷（考虑同时系数）、回路工作电流，选择各回路开关、保护设备参数、规格；

3 根据照明回路负荷及工作电流，选择电缆、导线截面；

4 校验分级保护动作及回路末端短路灵敏度校验。

3.17 电 缆

3.17.1 图纸内容包括卷册说明、电缆敷设设施布置图、电缆埋管布置图、电缆桥（支）架图、电缆防火封堵图、电缆屏蔽布置图、电缆清册、设备材料汇总表。

3.17.2 图纸深度应符合下列规定：

1 卷册说明应说明本卷册包含内容，主要设计原则，设备材料订货要求，施工注意事项，与其他卷册的分界点等；

2 电缆敷设设施布置图应按比例绘制换流站站区、各级配电装置、阀厅、控制楼各层、继电器小室以及辅助建筑物各层电缆设施的布置；

3 电缆埋管布置图应在电缆敷设设施布置图的基础上标识各个设备所需埋管的位置，根据电缆清册标注埋管的规格及数量，

说明埋管方式及注意事项,本图亦可和电缆敷设设施布置图合并出图;

4 电缆桥(支)架图应按比例绘制各电缆构筑物内电缆桥(支)架的制作安装图及其制作所需设备材料,并给出各型支架总数量;

5 电缆防火封堵图表示换流站站区、各级配电装置、阀厅、控制楼以及辅助建筑物内电缆防火设施的布置,表示电缆防火封堵的规格形式;绘制各种形式防火封堵单元图纸,单元图纸应表示此种防火封堵的施工方法及所需设备材料并说明施工注意事项;汇总防火封堵所需各种设备材料数量;

6 电缆屏蔽布置图表示阀厅、控制楼各楼层、继电器小室电缆出入口屏蔽模块的布置,开列屏蔽模块规格及数量并汇总;

7 电缆清册应表示出每回电缆的编号、规格、始点位置、终点位置、长度;当有敷设路径要求时,应标识电缆敷设路径的关键节点;应汇总全站电缆保护管的规格及长度。厂家供货的电缆应列入电缆清册(单独计列),供施工单位核算安装工作量;

8 设备材料汇总表应详细列出设施相关材料的汇总情况。

3.17.3 计算内容包括电缆载流量计算、电缆电压降计算、电缆热稳定计算、单芯电缆感应电势计算。

3.17.4 计算深度应符合下列规定:

1 根据电缆实际的使用条件,计算电缆载流量实际允许值,校验电缆选型;

2 计算最大工作电流作用下连接回路的电压损失,校验电缆选型;

3 根据短路热稳定条件,计算电缆导体允许最小截面,校验电缆选型;

4 据单芯电缆敷设的实际条件,计算电缆金属护层正常感应电势,校验敷设条件是否满足安全要求。

4 二 次 部 分

4.1 施工图设计说明及主要设备材料清册

4.1.1 施工图设计说明及主要设备材料清册内容包括二次部分施工图设计说明、卷册目录和主要设备材料清册。

4.1.2 施工图设计说明及主要设备材料清册深度应符合下列规定：

   1 二次部分施工图设计说明应包括下列内容：

     1）设计依据、应遵循的规程规范、设计输入文件等；

     2）本工程的建设规模和专业设计范围；

     3）初步设计审查意见执行情况及与审查意见不相符的方案内容；

     4）对于过渡方案，应说明原因及过渡或预留方案内容；对于扩建工程，还应说明原工程现状及与本期工程接口的情况等；

     5）本专业主要设计原则、工程技术特性、施工及运行中的注意事项；

     6）采用新技术、新设备、新材料、新工艺时，应详细说明技术特性，使用要求及其他注意事项；

     7）有设计范围划分时，如工程设计与成套设计、多家设计单位共同设计，需说明各单位施工图设计分工、与相关专业的界限及接口要求；

     8）说明主要设备的选型订货情况。

   2 卷册目录应列出二次部分施工图卷册目录，包括所有分册的名称和编号。

   3 主要设备材料清册应列出施工图所有电气二次专业设计

范围内设备的名称、型号及规格、单位、数量及供货商,标明主要材料的规格及数量。

4.2 公 用 部 分

4.2.1 图纸内容包括总的部分图纸、时钟同步系统图纸、谐波监视及接地极监视系统图纸,并应符合下列规定:

1 总的部分图纸应包括电气二次设备安装单位划分示意图、控制楼各层电气二次设备房间和就地继电器小室二次屏位(设备)布置图、交流电源联系图;

2 时钟同步系统图纸应包括卷册说明、时钟同步系统配置图、时钟同步屏(柜)面布置图、二次接线图、端子排图或电缆接线表;

3 谐波监视及接地极监视系统应包括卷册说明、谐波监视系统图、谐波监视及接地极监视系统屏柜的屏(柜)面布置图、二次接线图,端子排图或电缆接线表。

4.2.2 图纸深度应符合下列规定:

1 总的部分图纸应包括下列内容:

1)电气二次设备安装单位划分示意图应在终期主接线图上表示出安装单位区域划分,并给出各区域的安装单位编号,标识出电流电压互感器、断路器、隔离开关、接地刀闸等一次设备的设备代号;同时,对本工程所用的安装单位及功能代号编制原则进行说明;

2)控制楼各层电气二次设备房间和就地继电器小室二次屏位(设备)布置图应按比例绘制控制楼各层电气二次设备房间和就地继电器小室的屏位(设备)布置图,应能反映现状、本期及终期的二次设备布置情况;应标注各房间及小室的尺寸,包括控制楼及小室的建筑轴线尺寸及柱编号、设备至墙柱中心线间的距离、通道的净尺寸、纵向及横向布置尺寸等;控制楼及小室的相对方位,包括指北

针、相邻建构筑物的示意;设备表中应标明室内各设备(屏、柜、操作台)的功能代号、名称、型号、数量等参数;

    3) 交流电源联系图应表示房间及小室内各屏柜交流照明电源的引取示意、电缆编号、电源开关选型及设备表。

  2 时钟同步系统图纸应包括下列内容:

    1) 卷册说明应包括设计内容及范围、主要设计原则及配置、与其他卷册的分界及接口、设备订货情况等;

    2) 时钟同步系统配置图应表示出时钟同步系统主机、天线、扩展屏的数量、布置位置、网络形式、与其他设备的接口方式和对时通道数量;

    3) 屏(柜)面布置图应包括屏(柜)的正面、背面布置图、屏上装置预留情况示意,以及屏内主要设备形式、技术参数及数量;正面布置图应包括柜内各装置、连接片的布置、按比例标识的屏柜及主要设备布置尺寸等;背面布置图应包含交直流空开、外部接线端子布置等;

    4) 二次接线图应表示出时钟同步系统设备的交直流电源、对时信号、告警信号及网络回路接线;

    5) 端子排图或电缆接线表采用回路编号时,端子排图应表示出屏内所有端子排的外部接线和电缆,包括回路编号、电缆去向及电缆编号,还应包括屏内短接线示意;不采用回路编号时,端子排图应表示出屏内所有端子排的外部接线和电缆,包括芯线编号、芯线名称、电缆去向及电缆编号,还应包括屏内短接线示意;电缆接线表应表示出屏内所有外部接线的电缆编号、电缆规格、电缆芯线编号及名称、电缆起点终点设备的功能代号或名称、电缆起点终点端子号及对应的图纸编号,还应包括屏内短接线的示意。

  3 谐波监视及接地极监视系统应包括下列内容:

    1) 卷册说明应符合本标准第 4.2.2 条第 2 款第 1 项的

规定；

    2）谐波监视系统图应表示出交直流谐波监视系统的输入模拟量及输入形式；

    3）屏（柜）面布置图应符合本标准第 4.2.2 条第 1 款第 3 项的规定；

    4）二次接线图应表示出交直流谐波监视装置和接地极监视装置的输入输出回路、连接方式、交直流电源引取及信号回路；

    5）端子排图或电缆接线表应符合本标准第 4.2.2 条第 1 款第 5 项的规定。

4.2.3 计算内容包括电流电压互感器准确级、二次负载选择计算，电流电压回路、交直流电源回路及跳闸回路的电缆截面选择计算。

4.2.4 计算深度应符合下列规定：

    1 根据负荷性质、负荷容量、压降要求、供电距离和电缆材质，对电流电压回路、交直流电源回路及跳闸回路的电缆截面进行选择计算；

    2 全站电流电压互感器的准确级和变比参数进行复核，根据实际订货装置的负载参数对电流电压互感器各绕组的负载进行选择计算。

4.3 系统保护及二次线

4.3.1 图纸内容包括系统保护及二次接线图、故障录波及测距图纸、保护及故障信息管理子站系统图纸、安全稳定控制系统图纸、二次安装图，并应符合下列规定：

    1 系统保护及二次接线图应包括卷册说明、保护配置图、保护通道接口示意图、屏（柜）面布置图、二次接线图、电流电压互感器二次接线图、断路器隔离开关接地开关机构二次接线图；

    2 故障录波及测距图纸应包括卷册说明、故障录波系统图、

故障录波及测距装置屏(柜)面布置图、二次接线图、故障测距通道接口示意图、端子排图或电缆接线表;

3 保护及故障信息管理子站系统应包括卷册说明、保护及故障信息管理子站系统图、屏(柜)面布置图、二次接线图、端子排图或电缆接线表;

4 安全稳定控制系统应包括卷册说明、系统通道接口连接示意图、屏(柜)面布置图、回路接线图、端子排图或电缆接线表;

5 二次安装图应包括电流电压互感器安装接线图或电缆接线表、断路器隔离开关接地开关机构接线图或电缆接线表、端子箱安装接线图或电缆接线表、端子排图或电缆接线表。

4.3.2 图纸深度应符合下列规定:

1 系统保护及二次接线图应包括下列内容:

1)卷册说明应符合本标准第 4.2.2 条第 2 款第 1 项的规定;

2)保护配置图应在对应电气主接线简图上表示出本部分涉及的电流电压互感器的绕组数量、排列、准确级、变比和功能配置,并示意出保护所接的互感器二次绕组,每组二次绕组所接设备的先后次序,同时还应表示出保护的冗余配置及保护范围的交叉重叠;

3)保护通道接口示意图应表示出完整的保护至通信设备的链接通道、接口方式、采用缆线等,宜示意缆线型号及编号;

4)屏(柜)面布置图应符合本标准第 4.2.2 条第 1 款第 3 项的规定;

5)二次接线图应表示出各保护屏的交直流电源、电流电压、保护跳合闸、保护开入开出、信号、断路器操作箱回路、通信接口、对时回路,以及线路、断路器、高抗保护的远跳回路接线。回路接线应示出接线功能或作用,宜出对侧的联接端子及对应的回路编号;

6）电流电压互感器二次接线图应表示出互感器的接线方式、极性、准确级、变比，各保护、计量、测量功能回路去向，回路编号及二次接地点；

7）断路器、隔离开关、接地开关机构二次接线图应包括各一次设备机构箱的控制、电机、加热照明回路电源，空气开关配置，保护、测控接口装置与一次设备机构箱之间的控制、信号、闭锁等回路。

2 故障录波及测距应包括下列内容：

1）卷册说明应符合本标准第 4.2.2 条第 2 款第 1 项的规定；

2）故障录波系统图应表示出故障录波系统的总体配置、各录波装置之间的网络连接、与保护及故障信息管理子站系统（如果有）和相关调度端的信息传输方式，宜包含接线缆线的型号和编号；

3）故障测距通道接口示意图应表示出故障测距装置的通道接口方式和连接缆线，宜包含缆线型号及编号；

4）屏（柜）面布置图应符合本标准第 4.2.2 条第 1 款第 3 项的规定；

5）二次接线图应绘制故障录波、故障测距相关屏柜的交直流电源、对时、信号回路，录波装置的模拟量、开关量输入回路，测距装置的电流量输入回路接线；

6）端子排图或电缆接线表应符合本标准第 4.2.2 条第 1 款第 5 项的规定。

3 保护及故障信息管理子站系统应包括下列内容：

1）卷册说明应符合本标准第 4.2.2 条第 2 款第 1 项的规定；

2）保护及故障信息管理子站系统图应表示出继电保护及故障录波器与继电保护信息子站系统之间的网络连接和相关调度端的信息传输方式，宜包含接线缆线的型号和编号；

3）屏（柜）面布置图应符合本标准第 4.2.2 条第 1 款第 3 项的规定；

4）二次接线图应绘制保护及故障信息管理子站系统相关屏柜的交直流电源、对时、信号回路，与各接入的保护、故障录波器、故障测距装置之间的连接端口和缆线，宜包含缆线型号及编号；

5）端子排图或电缆接线表应符合本标准第 4.2.2 条第 1 款第 5 项的规定。

4 安全稳定控制系统图包括下列内容：

1）卷册说明应符合本标准第 4.2.2 条第 2 款第 1 项的规定；

2）回路接线图应包括各安全稳定控制装置屏（柜）的交直流电源、电流电压、控制输入输出、信号、通信接口及对时回路等；安全稳定控制装置与相关保护设备间的配合应表示对应的回路名称或回路编号；

3）屏（柜）面布置图应符合本标准第 4.2.2 条第 1 款第 3 项的规定；

4）系统通道接口连接示意图应表示出安全稳定控制装置通道的接口方式及连接示意图，包括光缆、电缆编号；

5）端子排图或电缆接线表应符合本标准第 4.2.2 条第 1 款第 5 项的规定。

5 二次安装图应包括下列内容：

1）电流电压互感器安装接线图应表示出电流电压互感器的端子箱设置，端子箱内各端子排的外部去向，包括电缆去向、电缆编号、芯线名称及芯线编号，宜绘制端子箱设备表，包含箱体大小尺寸及箱内设备的规格数量等参数；

2）断路器、隔离开关、接地开关机构安装接线图应表示出各一次设备机构箱端子排的外部去向，包括芯线编号、芯线

名称、电缆去向及电缆编号,还应包括机构箱内短接线示意;

3）端子箱安装接线图应包括端子箱每段端子排的外部去向、电缆编号、芯线名称及芯线编号;

4）端子排图或电缆接线表应符合本标准第4.2.2条第1款第5项的规定。

4.4 调度自动化

4.4.1 图纸内容包括远动图纸、同步相量测量图纸、电能计量图纸,并应符合下列规定:

1 远动图纸应包括卷册说明,远动信息表,屏(柜)面布置图,远动、数据网及安全防护设备系统图,远动、数据网及安全防护设备接线图,端子排图或电缆接线表;

2 同步相量测量图纸应包括卷册说明、同步相量测量接线图、同步相量测量屏(柜)面布置图、端子排图或电缆接线表;

3 电能计量图纸应包括卷册说明、电能计量系统图、电能计量和采集装置接线图、电能计量屏(柜)面布置图、端子排图或电缆接线表。

4.4.2 图纸深度应符合下列规定:

1 远动图纸应包括下列内容:

1）卷册说明应符合本标准第4.2.2条第2款第1项的规定;

2）远动、数据网及安全防护系统图应表示计算机监控系统、远动装置、电能量采集系统、同步相量测量、继电保护信息子站系统、二次安全防护系统、数据网接入设备、通信设备、调度端等设备之间的互联及安全防护示意图;

3）屏(柜)面布置图应符合本标准第4.2.2条第1款第3项的规定;

4）远动、数据网及安全防护接线图应表示远动装置、数据网及安全防护设备柜内部各设备之间互联的回路编号、各设备与端子排互联的回路编号以及交直流电源回路编号等；

5）远动信息表应表示出需要远传至相关调度的信息类型及名称,电流电压信息量需表示出二次额定值、变比等技术参数；

6）端子排图或电缆接线表应符合本标准第4.2.2条第1款第5项的规定。

2 同步相量测量图纸应包括下列内容：

1）卷册说明应符合本标准第4.2.2条第2款第1项的规定；

2）屏（柜）面布置图应符合本标准第4.2.2条第1款第3项的规定；

3）同步相量测量接线图应表示交流电流、电压接入接线图,测量用电压互感器、电流互感器绕组的准确级、测量装置信号回路图及与时间同步、数据网接口的接线示意；

4）端子排图或电缆接线表应符合本标准第4.2.2条第1款第5项的规定。

3 电能计量图纸应包括下列内容：

1）卷册说明应符合本标准第4.2.2条第2款第1项的规定；

2）电能计量系统图应表示出电能量计量系统的总体配置、网络构成、各表计及电能表处理器之间的接口形式、与站内计算机监控系统和相关调度端的信息传输方式,宜包含接线缆线的型号和编号；

3）屏（柜）面布置图应符合本标准第4.2.2条第1款第3项的规定；

4）电能计量和采集装置接线图应表示出关口计量表、非关口计量表的电流电压引入引出接线,计量和采集装置的

通信、信号接线,包含回路编号、接线端子、接线方式、二次接地点等;

5)端子排图或电缆接线表应符合本标准第 4.2.2 条第 1 款第 5 项的规定。

4.5 计算机监控系统

4.5.1 图纸内容包括卷册说明、监控系统网络图、监控系统屏(柜)面布置图、二次接线图、端子排图或电缆接线表。

4.5.2 图纸深度应符合下列规定:

1 卷册说明应符合本标准第 4.2.2 条第 2 款第 1 项的规定;

2 监控系统网络图应表示出计算机监控系统的整体体系结构,包括站控层、控制层和间隔层设备配置情况、网络结构、计算机监控系统和其他系统(调度主站系统、电能量采集系统、保护及故障信息管理子站、电气设备在线监测系统、时钟同步系统等)的通信方式和网络接口等;

3 屏(柜)面布置图应符合本标准第 4.2.2 条第 1 款第 3 项的规定;

4 二次接线图应表示出监控主机(或服务器)、通信/光纤接口、辅助系统接口、测控屏、接口屏的交直流电源、控制、测量、信号接线,各屏内网络交换设备与其他二次设备的通信接口连接示意,宜包含端口号、连接缆线型号和编号;

5 端子排图或电缆接线表应符合本标准第 4.2.2 条第 1 款第 5 项的规定。

4.6 直流控制保护系统

4.6.1 图纸内容包括直流站控图纸、极控图纸、阀控图纸、极保护图纸、阀保护图纸、交流滤波器保护图纸、阀冷系统二次线、阀厅直流场二次线、直流系统测量图纸、阀基电子设备图纸、直流故录及故障定位图纸、直流系统二次安装图,并应符合下列规定:

1 直流站控图纸应包括卷册说明、直流站控系统图、直流站控屏（柜）面布置图、二次接线图、端子排图或电缆接线表；

2 极控图纸应包括卷册说明、极控系统图、极控屏（柜）面布置图、二次接线图、端子排图或电缆接线表；

3 阀控图纸应包括卷册说明、阀控系统图、阀控屏（柜）面布置图、二次接线图、端子排图或电缆接线表；

4 极保护图纸应包括卷册说明、极保护系统图、极保护屏（柜）面布置图、二次接线图、端子排图或电缆接线表；

5 阀保护图纸应包括卷册说明、阀保护系统图、阀保护屏（柜）面布置图、二次接线图、端子排图或电缆接线表；

6 交流滤波器保护图纸应包括卷册说明、交流滤波器保护配置图、交流滤波器保护屏（柜）面布置图、二次接线图、电流电压互感器二次接线图、端子排图或电缆接线表；

7 阀冷系统二次线应包括卷册说明、阀冷控制保护系统联系图、屏（柜）面布置图、二次接线图、端子排图或电缆接线表；

8 阀厅直流场二次线应包括卷册说明，阀厅地刀二次接线图，直流场断路器、隔离开关、接地刀闸的二次接线图；

9 直流系统测量图纸应包括卷册说明，阀厅电流、电压互感器二次接线图，直流场电流、电压互感器二次接线图，测量屏屏面布置图，测量屏接线图；

10 阀基电子设备图纸应包括卷册说明、屏（柜）面布置图、二次接线图端子排图或电缆接线表；

11 直流故录及故障定位图纸应包括卷册说明、故障录波系统图、直流故障录波及故障定位屏（柜）面布置图、二次接线图、故障定位通道接口示意图、端子排图或电缆接线表；

12 直流系统二次安装图应包括直流系统电流电压互感器安装接线图或电缆接线表、直流系统断路器隔离开关接地开关机构接线图或电缆接线表、直流系统端子箱安装接线图或电缆接线表、端子排图或电缆接线表。

4.6.2 图纸深度应符合下列规定：

1 直流站控图纸应包括下列内容：

1）卷册说明应符合本标准第 4.2.2 条第 2 款第 1 项的规定；

2）直流站控系统图应表示直流站控的配置、构成，与其他系统（计算机监控系统、极控系统、时钟同步系统等）的接口关系；

3）屏（柜）面布置图应符合本标准第 4.2.2 条第 1 款第 3 项的规定；

4）二次接线图应表示出直流站控装置的电源、对时接口、通信接口，信号输入输出回路及报警回路；

5）端子排图或电缆接线表应符合本标准第 4.2.2 条第 1 款第 5 项的规定。

2 极控图纸应包括下列内容：

1）卷册说明应符合本标准第 4.2.2 条第 2 款第 1 项的规定；

2）极控系统图应表示出极控系统的配置、构成，站间通道接口，与其他系统（计算机监控系统、极保护、交直流站控、时钟同步系统等）的接口关系；

3）屏（柜）面布置图应符合本标准第 4.2.2 条第 1 款第 3 项的规定；

4）二次接线图应表示出极控系统的装置电源、对时接口、通信接口，电流、电压输入回路，信号输入回路，跳闸出口（跳交流场相关断路器）回路及报警回路；

5）端子排图或电缆接线表应符合本标准第 4.2.2 条第 1 款第 5 项的规定。

3 阀控图纸应包括下列内容：

1）卷册说明应符合本标准第 4.2.2 条第 2 款第 1 项的规定；

2）阀控系统图应表示出极控系统的配置、构成，与其他系统（计算机监控系统、阀保护、极控、时钟同步系统等）的接口关系；

3）屏（柜）面布置图应符合本标准第 4.2.2 条第 1 款第 3 项的规定；

4）二次接线图应表示出阀控系统的装置电源、对时接口、通信接口，电流、电压输入回路，信号输入输出回路及报警回路；

5）端子排图或电缆接线表应符合本标准第 4.2.2 条第 1 款第 5 项的规定。

4　极保护图纸应包括下列内容：

1）卷册说明应符合本标准第 4.2.2 条第 2 款第 1 项的规定；

2）极保护系统图应表示出极保护的保护功能配置、保护装置构成、站间通道接口、与其他系统（计算机监控系统、极控系统、时钟同步系统等）的接口关系；

3）屏（柜）面布置图应符合本标准第 4.2.2 条第 1 款第 3 项的规定；

4）二次接线图应表示出极保护装置的电源、对时接口、通信接口，电流、电压输入回路，信号输入回路，跳闸出口（跳交流场相关断路器）回路及报警回路；

5）端子排图或电缆接线表应符合本标准第 4.2.2 条第 1 款第 5 项的规定。

5　阀保护图纸应包括下列内容：

1）卷册说明应符合本标准第 4.2.2 条第 2 款第 1 项的规定；

2）阀保护系统图应表示出阀保护的保护功能配置、保护装置构成、与其他系统（计算机监控系统、阀控系统、时钟同步系统等）的接口关系；

3）屏（柜）面布置图应符合本标准第4.2.2条第1款第3项的规定；

4）二次接线图应表示出阀保护装置的电源、对时接口、通信接口，电流、电压输入回路，信号输入输出回路及报警回路；

5）端子排图或电缆接线表应符合本标准第4.2.2条第1款第5项的规定。

6　交流滤波器保护图纸应包括下列内容：

1）卷册说明应符合本标准第4.2.2条第2款第1项的规定；

2）保护配置图应符合本标准第4.3.2条第1款第2项的规定；

3）屏（柜）面布置图应符合本标准第4.2.2条第1款第3项的规定；

4）二次接线图应表示出交流滤波器大组和小组保护屏的交直流电源、电流电压、保护跳闸出口、保护开入开出、信号、断路器操作箱回路、通信接口、对时回路及交流滤波器小组断路器的选相合闸回路接线；回路接线应示出接线功能或作用，宜示出对侧的连接端子及对应的回路编号；

5）电流电压互感器二次接线图应符合本标准第4.3.2条第1款第4项的规定；

6）端子排图或电缆接线表应符合本标准第4.2.2条第1款第5项的规定。

7　阀冷系统二次线应包括下列内容：

1）卷册说明应符合本标准第4.2.2条第2款第1项的规定；

2）阀冷控制保护系统联系图应表示出阀内外冷控制保护装置与计算机监控系统或相关控制主机之间的网络联系；

3）屏（柜）面布置图应符合本标准第 4.2.2 条第 1 款第 3 项的规定；

4）二次接线图应表示出阀内外冷控制保护屏的交直流电源、控制、信号、通信接口和对时回路及与直流控制系统之间的接口；

5）端子排图或电缆接线表应符合本标准第 4.2.2 条第 1 款第 5 项的规定。

8　阀厅直流场二次线应包括下列内容：

1）卷册说明应符合本标准第 4.2.2 条第 2 款第 1 项的规定；

2）阀厅地刀二次接线图应符合本标准第 4.3.2 条第 1 款第 7 项的规定；

3）直流场断路器、隔离开关、接地刀闸的二次接线图应符合本标准第 4.3.2 条第 1 款第 7 项的规定。

9　直流系统测量图纸应包括下列内容：

1）卷册说明应符合本标准第 4.2.2 条第 2 款第 1 项的规定；

2）屏（柜）面布置图应符合本标准第 4.2.2 条第 1 款第 3 项的规定；

3）直流系统测量接线图对于电子式互感器，应表示出直流测量屏的交直流电源、互感器一次导体与远端模块、合并单元之间的缆线连接示意，合并单元、接口模块与其他控制保护系统装置的接线；对于常规电磁式互感器，应表示出其接线方式，各保护、计量、测量功能回路去向，回路编号及二次接地点；

4）端子排图或电缆接线表应符合本标准第 4.2.2 条第 1 款第 5 项的规定。

10　阀基电子设备图纸应包括下列内容：

1）卷册说明应符合本标准第 4.2.2 条第 2 款第 1 项的规

定；

2）屏（柜）面布置图应符合本标准第 4.2.2 条第 1 款第 3 项的规定；

3）二次接线图应表示出阀基电子设备的交直流电源、信号回路及与阀和直流控制系统之间的接线；

4）端子排图或电缆接线表应符合本标准第 4.2.2 条第 1 款第 5 项的规定。

11 直流故录及故障定位图纸应包括下列内容：

1）卷册说明应符合本标准第 4.2.2 条第 2 款第 1 项的规定；

2）故障录波系统图应符合本标准第 4.3.2 条第 2 款第 2 项的规定；

3）故障定位通道接口示意图应符合本标准第 4.3.2 条第 2 款第 3 项的规定；

4）屏（柜）面布置图应符合本标准第 4.2.2 条第 1 款第 3 项的规定；

5）二次接线图应绘制直流故障录波、故障定位相关屏柜的交直流电源、对时、信号回路，录波装置的模拟量、开关量（包括直流量和光信号接口）输入回路，直流故障定位装置的行波输入回路接线；

6）端子排图或电缆接线表应符合本标准第 4.2.2 条第 1 款第 5 项的规定。

12 直流系统二次安装图应包括下列内容：

1）电流电压互感器安装接线图应符合本标准第 4.3.2 条第 5 款第 1 项的规定；

2）断路器、隔离开关、接地开关机构安装接线图应符合本标准第 4.3.2 条第 5 款第 2 项的规定；

3）端子箱安装接线图应符合本标准第 4.3.2 条第 5 款第 3 项的规定；

4)端子排图或电缆接线表应符合本标准第 4.2.2 条第 1 款第 5 项的规定。

4.7 元件保护及二次线

4.7.1 图纸内容包括换流变保护及二次线、高抗保护及二次线、联络变保护及二次线、站用变保护及二次线、35/66kV 母线保护及二次线、35/66kV 低容低抗保护及二次线,并应符合下列规定:

 1 换流变保护及二次线应包括卷册说明、换流变保护配置图、保护屏(柜)面布置图、保护二次接线图、电流电压互感器二次接线图、换流变本体二次接线图、端子排图或电缆接线表;

 2 高抗保护及二次线应包括卷册说明、高抗保护配置图、保护屏(柜)面布置图、保护二次接线图、电流电压互感器二次接线图、高抗本体二次接线图、端子排图或电缆接线表;

 3 联络变保护及二次线应包括卷册说明、联络变压器保护配置图、保护屏(柜)面布置图、保护二次接线图、电流电压互感器二次接线图、联络变本体二次接线图、端子排图或电缆接线表;

 4 站用变保护及二次线应包括卷册说明、站用变压器保护配置图、保护屏(柜)面布置图、保护二次接线图、电流电压互感器二次接线图、站用变本体二次接线图、端子排图或电缆接线表;

 5 35/66kV 母线保护及二次线应包括卷册说明、35/66kV母线保护配置图、保护屏(柜)面布置图、保护二次接线图、电流互感器二次接线图、端子排图或电缆接线表。

 6 35/66kV 低容低抗保护及二次线应包括卷册说明、35/66kV低容低抗保护配置图、保护屏(柜)面布置图、保护二次接线图、电流互感器二次接线图、端子排图或电缆接线表。

4.7.2 图纸深度应符合下列规定:

 1 换流变保护及二次线应包括下列内容:

  1)卷册说明应符合本标准第 4.2.2 条第 2 款第 1 项的规定;

2）保护配置图应符合本标准第 4.3.2 条第 1 款第 2 项的规定；

3）屏（柜）面布置图应符合本标准第 4.2.2 条第 1 款第 3 项的规定；

4）二次接线图应表示出换流变压器保护屏的交直流电源、电流电压、保护跳闸出口、保护开入开出、信号、断路器操作箱回路、通信接口、对时回路及其与直流控制系统的接口；回路接线应示出接线功能或作用，宜示出对侧的连接端子及对应的回路编号；

5）电流电压互感器二次接线图应符合本标准第 4.3.2 条第 1 款第 4 项的规定；

6）换流变本体二次接线图应包括换流变总冷控及本体端子箱（或每相冷控及本体端子箱）的相应非电量、电流、测温、信号等二次接线图，总冷控及本体端子箱（或每相冷控及本体端子箱）与每相冷却器控制箱、有载调压端子箱、在线监测控制柜之间的接线图，以及相应的交直流电源、控制、信号回路；

7）端子排图或电缆接线表应符合本标准第 4.2.2 条第 1 款第 5 项的规定。

2 高抗保护及二次线应包括下列内容：

1）卷册说明应符合本标准第 4.2.2 条第 2 款第 1 项的规定；

2）保护配置图应符合本标准第 4.3.2 条第 1 款第 2 项的规定；

3）屏（柜）面布置图应符合本标准第 4.2.2 条第 1 款第 3 项的规定；

4）二次接线图应表示出高抗保护屏的交直流电源、电流电压、保护跳闸出口、保护开入开出、信号、断路器操作箱回路、通信接口及对时回路；回路接线应示出接线功能或作

用,宜示出对侧的连接端子及对应的回路编号;

5)电流电压互感器二次接线图应符合本标准第4.3.2条第1款第4项的规定;

6)高抗本体二次接线图应包括高压并联电抗器总冷控及本体端子箱(或每相冷控及本体端子箱)的相应非电量、电流、测温、信号等二次接线图,总冷控及本体端子箱(或每相冷控及本体端子箱)与每相冷却器控制箱、在线监测控制柜之间的接线图以及相应的交直流电源、控制、信号回路;

7)端子排图或电缆接线表应符合本标准第4.2.2条第1款第5项的规定。

3 联络变保护及二次线应包括下列内容:

1)卷册说明应符合本标准第4.2.2条第2款第1项的规定;

2)保护配置图应符合本标准第4.3.2条第1款第2项的规定;

3)屏(柜)面布置图应符合本标准第4.2.2条第1款第3项的规定;

4)二次接线图应表示出联络变压器保护屏的交直流电源、电流电压、保护跳闸出口、保护开入开出、信号、断路器操作箱回路、通信接口及对时回路;回路接线应示出接线功能或作用,宜示出对侧的连接端子及对应的回路编号;

5)电流电压互感器二次接线图应符合本标准第4.3.2条第1款第4项的规定;

6)联络变本体二次接线图应包括联络变总冷控及本体端子箱(或每相冷控及本体端子箱)的相应非电量、电流、测温、信号等二次接线图,总冷控及本体端子箱(或每相冷控及本体端子箱)与每相冷却器控制箱、有载调压端子箱、在线监测控制柜之间的接线图,以及相应的交直流电源、控制、信号回路；

7）端子排图或电缆接线表应符合本标准第4.2.2条第1款
第5项的规定。

4 站用变保护及二次线应包括下列内容：

1）卷册说明应符合本标准第4.2.2条第2款第1项的规
定；

2）保护配置图应符合本标准第4.3.2条第1款第2项的规
定；

3）屏（柜）面布置图应符合本标准第4.2.2条第1款第3项
的规定；

4）二次接线图应表示出站用变压器保护屏的交直流电源、
电流电压、保护跳闸出口、保护开入开出、信号、断路器操
作箱回路、通信接口及对时回路；回路接线应示出接线功
能或作用，宜示出对侧的连接端子及对应的回路编号；

5）电流电压互感器二次接线图应符合本标准第4.3.2条第
1款第4项的规定；

6）站用变本体二次接线图应包括站用变本体端子箱的相应
非电量、电流、测温、信号等二次接线图，有载调压端子箱
的接线图以及相应的交直流电源、控制、信号回路；

7）端子排图或电缆接线表应符合本标准第4.2.2条第1款
第5项的规定。

5 35/66kV 母线保护及二次线应包括下列内容：

1）卷册说明应符合本标准第4.2.2条第2款第1项的规
定；

2）保护配置图应符合本标准第4.3.2条第1款第2项的规
定；

3）屏（柜）面布置图应符合本标准第4.2.2条第1款第3项
的规定；

4）二次接线图应表示出 35/66kV 母线保护屏的交直流电

源、电流电压、保护跳闸出口、保护开入开出、信号、通信接口及对时回路。回路接线应示出接线功能或作用,宜示出对侧的连接端子及对应的回路编号;

　　5)电流互感器二次接线图应符合本标准第 4.3.2 条第 1 款第 4 项的规定;

　　6)端子排图或电缆接线表应符合本标准第 4.2.2 条第 1 款第 5 项的规定。

6　35/66kV 低容低抗保护及二次线应包括下列内容:

　　1)卷册说明应符合本标准第 4.2.2 条第 2 款第 1 项的规定;

　　2)保护配置图应符合本标准第 4.3.2 条第 1 款第 2 项的规定;

　　3)屏(柜)面布置图应符合本标准第 4.2.2 条第 1 款第 3 项的规定;

　　4)二次接线图应表示出 35/66kV 低容低抗保护屏的交直流电源、电流电压、保护跳闸出口、保护开入开出、信号、通信接口及对时回路;回路接线应示出接线功能或作用,宜示出对侧的联接端子及对应的回路编号;

　　5)电流互感器二次接线图应符合本标准第 4.3.2 条第 1 款第 4 项的规定;

　　6)端子排图或电缆接线表应符合本标准第 4.2.2 条第 1 款第 5 项的规定。

4.8　直流电源及 UPS 交流不间断电源系统

4.8.1　图纸内容包括直流电源系统、UPS 交流不间断电源系统图纸,并应符合下列规定:

　　1　直流电源系统应包括卷册说明、直流电源系统图、通信网络图、馈线回路图、信号回路图、屏(柜)面布置图、端子排图或电缆接线表;

2 UPS交流不间断电源系统应包括卷册说明、UPS交流不间断电源系统图、馈线回路图、信号回路图、屏(柜)面布置图、端子排图或电缆接线表。

4.8.2 图纸深度应符合下列规定：

1 直流电源系统图纸应包括下列内容：

　　1)卷册说明应符合本标准第4.2.2条第2款第1项的规定；

　　2)系统图应表示出直流电源的供电网络结构、电压等级、主接线形式、蓄电池和充电装置型式、组数、容量等技术参数；

　　3)通信网络图应表示出直流电源设备之间以及与计算机监控系统的网络连接示意，包括设备连接端口、缆线型号和编号；

　　4)屏(柜)面布置图应符合本标准第4.2.2条第1款第3项的规定；

　　5)馈线回路图应完整表示出直流馈线回路的馈线开关容量、电缆型号、电缆编号、用电设备等技术参数；

　　6)信号回路图应表示出直流电源系统各设备的告警信号回路；

　　7)端子排图或电缆接线表应符合本标准第4.2.2条第1款第5项的规定。

2 UPS交流不间断电源系统图纸应括下列内容：

　　1)卷册说明应符合本标准第4.2.2条第2款第1项的规定；

　　2)系统图应表示出UPS交流不间断电源系统的设备构成、主接线形式、各主要设备的技术参数等；

　　3)屏(柜)面布置图应符合本标准第4.2.2条第1款第3项的规定；

　　4)馈线回路图应完整表示出UPS馈线回路的馈线开关容

量、电缆型号、电缆编号、用电设备等技术参数；

5）信号回路图应表示出 UPS 系统各设备的告警信号回路；

6）端子排图或电缆接线表应符合本标准第 4.2.2 条第 1 款第 5 项的规定。

4.8.3 计算内容包括蓄电池容量及充电模块选择、空气开关或熔断器额定参数选择和电缆截面选择，UPS 容量选择、空气开关额定参数选择和电缆截面选择。

4.8.4 计算深度应符合下列规定：

1 直流电源系统应包括下列内容：

1）对于直流蓄电池容量初设阶段已经进行了估算，施工图阶段应根据全站的统计经常负荷、事故负荷、设计放电时间、实际容量换算系数进行核算；对于充电模块初设阶段已经进行了估算，施工图阶段应根据统计经常电流、系统实际备用方式进行核算；

2）对于直流电源系统各直流回路的空气开关或熔断器额定电流进行选择计算，以满足上下级级差配合要求；

3）根据负荷性质、负荷容量、压降要求、供电距离和电缆材质计算直流各级出线回路以及蓄电池回路的电缆截面。

2 UPS 交流不间断电源系统应包括下列内容：

1）对于 UPS 容量初设阶段已经进行了估算，施工图阶段应根据全站的负荷统计、负荷类型、功率因数、功率校正系数及降容系数进行核算；同时，应根据 UPS 主机容量和交流电源引接线形式确定隔离变压器的容量和形式，根据直流备电的电源电压确定其直流反向阻断和正向导通电压值；

2）对 UPS 系统各回路的空气开关额定电流进行选择计算，以满足上下级级差配合要求；

3）根据负荷性质、负荷容量、压降要求、供电距离和电缆材质计算 UPS 各级出线回路的电缆截面。

4.9 辅 助 系 统

4.9.1 图纸内容包括火灾探测及消防联动控制系统图纸、图像监视及安全警卫系统图纸、其他电动机二次线图纸、设备状态监测系统图纸、交流电源配电箱图纸，并应符合下列规定：

    1 火灾探测及消防联动控制系统图纸应包括卷册说明、火灾报警系统图、屏（柜）面布置图、各区域或房间布点接线图、消防联动控制系统接线图、设备材料汇总表、端子排图或电缆接线表；

    2 图像监视及安全警卫系统图纸应包括卷册说明、像监视及安全警卫系统图、屏（柜）面布置图、各区域或房间布点接线图、设备材料汇总表、端子排图或电缆接线表；

    3 其他电动机二次线图纸应包括卷册说明、工艺要求的所有水泵及通风空调设备的控制信号接线图、屏（柜）面布置图、端子排图或电缆接线表；

    4 设备状态监测系统图纸应包括卷册说明、设备状态监测系统配置图、接线图、屏（柜）面布置图、端子排图或电缆接线表；

    5 交流电源配电箱图纸应包括站内各区域交流电源配电箱二次接线图、交流电源配电箱安装接线图或电缆接线表。

4.9.2 图纸深度应符合下列规定：

    1 火灾探测与消防控制系统图纸应包括下列内容：

      1）卷册说明应符合本标准第4.2.2条第2款第1项的规定；

      2）火灾报警系统图应表示出火灾报警系统的总体配置、网络构成，包括探测器、报警器、按钮、电话等各前端设备的种类、数量、型号参数等，还包括与计算机监控系统、图像监视及安全警卫系统的接口；

      3）布点接线图应表示出火灾报警系统在控制楼、阀厅、各继电器小室、户内外配电装置、站内其他需要的建筑物等区域的布点、通信连接、电源连接关系，宜包含接线缆线的

型号和编号;还应说明火灾报警系统各前端设备的安装位置、数量、型号及安装要求;

4)屏(柜)面布置图应符合本标准第4.2.2条第1款第3项的规定;

5)消防联动控制系统接线图应表示出消防联动设备的电源、信号、联动控制回路接线;

6)设备材料汇总表应详细列出火灾报警及消防联动控制系统设备及材料的名称、规格和数量;

7)端子排图或电缆接线表应符合本标准第4.2.2条第1款第5项的规定。

2 图像监视及安全警卫系统图纸应包括下列内容:

1)卷册说明应符合本标准第4.2.2条第2款第1项的规定;

2)图像监视及安全警卫系统图应表示出图像监视及安全警卫系统和环境监测设备的总体配置、网络构成,包括视频系统各前端设备的种类、数量、型号以及电子围栏的范围、参数等,还包括与计算机监控系统、火灾报警系统及其他系统的接口;

3)布点接线图应表示出图像监视及安全警卫系统和环境监测设备在控制楼、阀厅、各继电器小室、户内外配电装置、站区围墙等区域的布点、通信连接、电源连接关系,宜包含接线缆线的型号和编号;还应说明视频系统各前端设备及电子围栏的安装位置、数量、型号及安装要求等;

4)屏(柜)面布置图应符合本标准第4.2.2条第1款第3项的规定;

5)设备材料汇总表应详细列出图像监视及安全警卫系统和环境监测设备及材料的名称、规格和数量;

6)端子排图或电缆接线表应符合本标准第4.2.2条第1款第5项的规定。

3 其他电动机二次线图纸应包括下列内容：

1）卷册说明应符合本标准第 4.2.2 条第 2 款第 1 项的规定；

2）屏(柜)面布置图应符合本标准第 4.2.2 条第 1 款第 3 项的规定；

3）电动机二次接线图应根据工艺要求表示出排污泵、深井泵、通风空调等设备的控制、信号回路接线；

4）端子排图或电缆接线表应符合本标准第 4.2.2 条第 1 款第 5 项的规定。

4 设备状态监测系统图纸应包括下列内容：

1）卷册说明应符合本标准第 4.2.2 条第 2 款第 1 项的规定；

2）设备状态监测系统配置图应表示出设备状态监测系统设备组成、数量、布置位置、网络结构、接口方式及与主站系统的通信方案；

3）屏(柜)面布置图应符合本标准第 4.2.2 条第 1 款第 3 项的规定；

4）接线图应表示出各设备状态监测屏(柜)的交直流电源，与各不同的状态监测装置和计算机监控系统之间的控制、信号及网络回路接线；

5）端子排图或电缆接线表应符合本标准第 4.2.2 条第 1 款第 5 项的规定。

5 交流电源配电箱图纸应包括下列内容：

1）交流电源配电箱二次接线图应表示出各交流电源配电箱的进线、供电方式及各馈电回路接线，包括外部去向和电缆编号；

2）交流电源配电箱安装接线图或电缆接线表应表示出各交流电源配电箱馈线回路的外部去向，包括电缆编号、芯线名称及芯线编号，还应绘制配电箱的设备表，包含箱体大小尺寸及箱内设备的规格数量等参数；

3）端子排图或电缆接线表应符合本标准第4.2.2条第1款第5项的规定。

4.10 通 信

4.10.1 图纸内容包括电力线载波通信图纸、综合数据通信网图纸、应急通信图纸、站内通信综合布线及管线敷设图纸、调度交换设备图纸、通信直流电源系统图纸、换流站站内光缆图纸、广播系统图纸、会议电视图纸，并应符合下列规定：

1 电力线载波通信图纸应包括卷册说明、电力线载波通道接线图、电力线载波系统电缆连接图、结合滤波器安装接线图、电力线载波机屏面布置图、电力线载波机端子图、电力线载波设备安装固定图、通信设备屏位布置图、厂区高频电缆敷设图、设备材料表；

2 综合数据通信网图纸应包括卷册说明、数据网络系统图、电缆连接图、设备屏面布置图、设备安装图、通信设备屏位布置图、设备材料表；

3 应急通信图纸应包括卷册说明、应急通信系统图、供电系统及电缆连接图、设备安装图、通信设备屏位布置图、设备材料表；

4 站内通信综合布线及管线敷设图纸应包括卷册说明、站内综合布线系统图、站内通信埋管、电缆敷设、电话及信息端口布置图、户外电话布置图、设备材料表；

5 调度交换设备图纸应包括卷册说明、调度交换设备组网图、调度交换设备系统图、调度交换设备屏面布置图、设备机柜安装固定图、调度交换设备屏位布置图、设备材料表；

6 通信直流电源系统图纸应包括卷册说明、通信直流电源系统连接图、通信直流电源屏屏面布置图、通信直流电源屏端子接线图、通信直流电源屏安装固定图、蓄电池组架（柜）安装图、通信设备屏位布置图、设备材料表；

7 换流站站内光缆图纸应包括卷册说明、引入光缆敷设示意图、引入光缆结构及光纤色谱图、光缆配线架光纤配线图、设备材料表；

8 广播系统图纸应包括卷册说明、广播系统网络图、设备屏面布置图、广播系统分区图（表）、供电系统图、广播设备安装图、通信机房屏位布置图、广播系统电缆敷设图、设备材料表；

9 会议电视图纸应包括卷册说明、会议电视系统图、供电系统及电缆连接图、设备安装图通信设备屏位布置图、设备材料表。

4.10.2 图纸深度应符合下列规定：

1 电力线载波通信图纸应包括下列内容：

1）卷册说明包括设计范围及内容、本工程电力线载波系统方案、组屏及订货情况、屏蔽、接地要求以及施工注意事项等；

2）电力线载波通道组织图应示出母线、阻波器、电容式电压互感器/耦合电容器、结合滤波器、电力线载波机之间的连接关系，标明耦合相和耦合方式以及话音、远动、保护命令数量等；

3）电力线载波系统电缆连接图应示出结合滤波器、高频差接网络、电力线载波机以及其他设备间的电缆连接关系；

4）结合滤波器安装接线图应示出结合滤波器与高频差接网络间的端子接线，以及结合滤波器、高频差接网络的尺寸及安装方式；

5）电力线载波机屏面布置图应绘出电力线载波设备机架组屏、子架面板布置、端子区等；

6）电力线载波机端子图应示出话音、远动、保护各部分业务端子，标明快速保护命令的输入/输出、慢速命令的输入/输出、告警输出的端子；

7）电力线载波设备安装图应绘出设备的机柜尺寸、安装孔位、固定方式等；

8）屏位布置图应按比例绘制通信设备区域内通信设备布置

图,标明屏与屏、屏与墙间的尺寸以及门的位置,说明每个屏位对应的设备名称、型号、数量以及生产厂商,并区分本期、预留屏位;

9)站内高频电缆敷设图应绘出高频电缆及铜导线起止位置、敷设方式及路径、电缆型号及长度;

10)设备材料表应列出本站设备材料明细,标明名称、规格型号及数量等。

2 综合数据通信网图纸应包括下列内容:

1)卷册说明包括设计范围及设计内容、本站主要设备材料的配置情况以及施工注意事项;

2)数据网络系统图应绘出综合数据通信设备网络层面的接入方式、路由;

3)电缆连接图应绘出网络设备与通信机房相关设备之间电缆连接等;

4)设备屏面布置图应标明设备组屏、子架面板布置等,包括路由器、防火墙、交换机等布置;

5)设备安装图应符合本标准第 4.10.2 条第 1 款第 7 项的规定;

6)屏位布置图应符合本标准第 4.10.2 条第 1 款第 8 项的规定;

7)设备材料表应符合本标准第 4.10.2 条第 1 款第 10 项的规定。

3 应急通信图纸应包括下列内容:

1)卷册说明应符合本标准第 4.10.2 条第 2 款第 1 项的规定;

2)应急通信系统图应绘制应急通信设备的接入方式、系统组成;

3)供电系统及电缆连接图应绘出应急通信设备供电系统方式及通信机房相关设备之间电缆连接等;

4）设备安装图应符合本标准第 4.10.2 条第 1 款第 7 项的规定；

5）屏位布置图应符合本标准第 4.10.2 条第 1 款第 8 项的规定；

6）设备材料表应符合本标准第 4.10.2 条第 1 款第 10 项的规定。

4　站内通信综合布线及管线敷设图纸应包括下列内容：

1）卷册说明应符合本标准第 4.10.2 条第 2 款第 1 项的规定；

2）站内综合布线系统图应以框图形式绘出全站的电话、网络、有线电视系统连接；

3）站内通信埋管、电缆敷设、电话、网络、有线电视布置图。应绘出建筑物内的电话、网络、有线电视的埋管及电缆敷设，各楼层分线设备至每个用户的电话、网络、有线电视的埋管及电缆敷设；

4）户外电话布置图应绘出站内音频配线架至室外电话分线盒、分线盒至室外每个电话机间的埋管及电缆敷；

5）设备材料表应符合本标准第 4.10.2 条第 1 款第 10 项的规定。

5　调度交换设备图纸应包括下列内容：

1）卷册说明包括设计范围及内容、调度交换设备系统配置方案、组屏及订货情况以及施工注意事项等；

2）调度交换设备组网图根据调度组织关系，绘制换流站与各级调度之间的调度交换组网图，其中包含中继方向、中继类型、中继接口、中继信令、中继链路数量等；

3）调度交换设备系统图以框图形式表示出站内交换设备系统各设备间的连接关系，应包括交换设备与 DDF、VDF、调度台间的缆线连接等；

4）调度交换设备屏面布置图应绘出调度交换设备机架组

屏、子架面板布置、各板卡名称及功能等；

5）设备机柜安装图应符合本标准第 4.10.2 条第 1 款第 7 项的规定；

6）屏位布置图应符合本标准第 4.10.2 条第 1 款第 8 项的规定；

7）设备材料表应符合本标准第 4.10.2 条第 1 款第 10 项的规定。

6 通信直流电源系统图纸应包括下列内容：

1）卷册说明包括设计范围及内容、通信直流电源系统配置方案、组屏及订货情况、接地要求以及施工注意事项等；

2）通信直流电源系统连接图应标示通信直流电源系统各组成部分的连接关系；

3）通信直流电源屏屏面布置图应示出设备组屏、子架面板布置等，包括交直流空开、监控单元、整流模块、显示仪表、外部接线端子等布置；

4）通信直流电源屏端子接线图标明交直流配电端子编号、规格和用途，还应包含监控告警、蓄电池接入等部分的端子接线；

5）通信直流电源屏安装图应符合本标准第 4.10.2 条第 1 款第 7 项的规定；

6）蓄电池组架（柜）安装图应示出蓄电池组的组架或组柜布置、尺寸及安装方式等；

7）屏位布置图应符合本标准第 4.10.2 条第 1 款第 8 项的规定；

8）设备材料表应符合本标准第 4.10.2 条第 1 款第 10 项的规定。

7 换流站站内光缆图纸应包括下列内容：

1）卷册说明包括设计范围及设计内容、引入光缆的敷设方式、施工要求以及施工注意事项；

2）引入光缆结构及光纤色谱图应绘出引入光缆的结构和光缆的序号与光纤色谱对应关系；

3）光缆配线架光纤配线图应标明机房内的光配单元的纤芯分配和去向；

4）设备材料表应符合本标准第4.10.2条第1款第10项的规定。

8　广播系统图纸应包括下列内容：

1）卷册说明应符合本标准第4.10.2条第2款第1项的规定；

2）广播系统网络图应标明整个系统的网络结构、组成及分区；

3）设备屏面布置图应标明设备组屏、子架面板布置、各板卡功能、端子区等；

4）广播系统分区图（表）应标明分区数量、各分区用户及功率；

5）供电系统图应绘出广播设备供电方式及电缆连接方式等；

6）设备安装图应符合本标准第4.10.2条第1款第7项的规定；

7）屏位布置图应符合本标准第4.10.2条第1款第8项的规定；

8）广播系统电缆敷设图应标出广播系统的电缆敷设路径、敷设方式、电缆型号及长度；

9）设备材料表应符合本标准第4.10.2条第1款第10项的规定。

9　会议电视图纸应包括下列内容：

1）卷册说明应符合本标准第4.10.2条第2款第1项的规定；

2）会议电视系统图绘制会议电视设备的接入方式、系统组成；

3）供电系统及电缆连接图绘制会议电视设备供电系统方式及通信机房相关设备之间电缆连接等；

4）设备安装图应符合本标准第 4.10.2 条第 1 款第 7 项的规定；

5）屏位布置图应符合本标准第 4.10.2 条第 1 款第 8 项的规定；

6）设备材料表应符合本标准第 4.10.2 条第 1 款第 10 项的规定。

5 土 建

5.1 施工图设计说明

5.1.1 施工图设计说明内容包括土建施工图设计说明和卷册目录。

5.1.2 施工图设计说明深度应符合下列规定：

  1 土建施工图设计说明应包括下列内容：

    1）土建设计执行的主要规程、规范及标准（名称、编号、年号、版本号）；

    2）主要设计依据（包括初步设计批复文件的名称、文号）；

    3）土建设计的主要原则；

    4）工程的概况，包括工程性质、建设规模、设计范围等；

    5）本工程的自然条件，包括采用的高程系统和坐标系统，工程所在区域自然地貌、水文气象条件，工程地质，水文地质，地震动峰值加速度、抗震设防烈度等；

    6）结合工程的具体情况，对站内建（构）筑物的建筑及结构形式、地基处理、场地平整要求等主要内容进行论述；

    7）主要建筑材料，包括水泥、钢筋、混凝土、钢材、焊条、砌筑材料等；

    8）建筑设计采用的主要技术措施（包括电磁屏蔽、接地、气密、防火、疏散、防水、防潮、排水、保温、隔热、隔声、采光、通风、抗风、防腐、防虫鼠、防坠落、防电击、防物体打击等）；

    9）建筑物的墙身防潮层、外墙面、内墙面（含墙裙）、顶棚、地面、楼面、屋面、雨篷、窗台、平台、阳台、踢脚、勒脚、散水、花台、台阶、坡道、电缆沟、排水沟、集水坑、出水口、水落管等各部位建筑装修材料和构造做法；

    10）土建设计对于国家工程建设标准强制性条文的落实情况；

11)土建设计采用新技术、新材料、新工艺的情况以及使用要求和注意事项;

12)施工注意事项或应重视的技术问题;

13)土建设计选用的国家/地区/省/市/企业标准图、通用图图集一览表(包括名称、编号)。

2 卷册目录应列出土建施工图卷册目录,包括所有分册的名称和编号。

5.2 征 地 图

5.2.1 图纸内容包括征地图。

5.2.2 图纸深度应符合下列规定:

1 在地形图上应绘出换流站围墙中心线、进站道路中心线及边线、征地轮廓线等并标注坐标,必要时尚应绘制规划控制红线及边坡边线等并标注坐标。

2 标出指北针或风玫瑰图。

3 应列表标明征地指标,见表5.2.2。

4 说明尺寸单位、比例、坐标及高程系统,并提供测量控制点坐标及高程,所采用的坐标及高程系统应符合当地规划、国土部门的要求。

表5.2.2 换流站征(用)地面积一览表

序号	指 标 名 称	单位	数量	备注
1	站址总用地面积	hm²		
1.1	站区围墙内用地面积	hm²		
1.2	进站道路用地面积	hm²		
1.3	站外供水设施用地面积	hm²		指永久征地
1.4	站外排水设施用地面积	hm²		指永久征地
1.5	站外防(排)洪设施用地面积	hm²		指永久征地
1.6	其他用地面积	hm²		指永久征地
......	......			

5.3 总平面及竖向布置

5.3.1 图纸内容包括站址规划图(视工程需要)、站区总平面布置图、站区竖向布置图、土方图。

5.3.2 图纸深度应符合下列规定:

    1 站址规划图应包括下列内容:

        1)表示站内所有建(构)筑物的总体布置及进站道路、站外给排水管线、边坡挡土墙、进出线规划等内容;

        2)标出指北针或风玫瑰图。

    2 站区总平面布置图应包括下列内容:

        1)站内各建(构)筑物、换流变广场、围墙、道路等的定位尺寸及坐标;

        2)建(构)筑物的名称或编号、层数,标明各电压等级配电装置场地名称;

        3)综合布置站内主干道、次干道及检修道路等,综合布置站内各种主要管沟;

        4)站内主要建筑物的室内零米标高;

        5)应计算主要技术经济指标并列表标明,见表5.3.2-1;

表 5.3.2-1　主要技术经济指标表

序号	名　称	单位	数量	备注
1	站址总用地面积	hm²		
1.1	站区围墙内用地面积	hm²		
1.2	进站道路用地面积	hm²		
1.3	站外供水设施用地面积	hm²		指永久征地
1.4	站外排水设施用地面积	hm²		指永久征地
1.5	站外防(排)洪设施用地面积	hm²		指永久征地
1.6	其他用地面积	hm²		指永久征地

续表 5.3.2-1

序号	名　　称		单位	数量	备注
2	进站道路长度(新建/改造)		m		
3	站外供水管长度		m		
4	站外排水管长度		m		
5	站内主电缆沟长度(0.6m×0.6m及以上)		m		
6	站内外挡土墙体积		m³		
7	站内外护坡面积		m²		
8	站址总土(石)方量	挖方(一)	m³		
		填方(+)	m³		
8.1	站区土(石)方量	挖方(一)	m³		
		填方(+)	m³		
8.2	进站道路土(石)方量	挖方(一)	m³		
		填方(+)	m³		
8.3	建(构)筑物基槽余土		m³		
8.4	站址土方综合平衡后	弃土	m³		
		取土	m³		
9	站内道路广场面积		m²		包括换流变广场
10	户外配电装置场地铺砌地面面积		m²		
11	总建筑面积		m²		
12	站区围墙长度		m		
13	站区绿化面积		m²		
14	搬运轨道长度		m		双轨
……	……				

注:表列项目可根据实际工程情况增减。

6）列表标明站区建（构）筑物名称、占地面积、建筑面积及配电装置场地名称等，见表 5.3.2-2；

表 5.3.2-2　建（构）筑物一览表

序号	名　　称	占地面积(m²)	建筑面积(m²)	备注
1	阀厅			
2	控制楼			
3	户内直流场			
4	GIS室			
5	站用电室			
6	继电器小室			
7	综合楼			
8	检修备品库			
9	专用品库			
10	汽车库			
11	综合水泵房			
12	工业消防水池			
13	警传室			
14	独立避雷针			
15	站用变压器			
16	污水处理装置			
17	事故集油器			
18	消防小室			
19	雨淋阀间 （或泡沫消防间）			
20	雨水泵井			
21	阀外冷设施			
……	……			

注：表列项目可根据实际工程情况增减。

7）总平面布置图应按上北下南绘制，标出指北针或风玫瑰图，并应标出指北针与建筑坐标的夹角；

8）说明尺寸单位、比例、坐标及高程系统、建筑坐标与测量坐标的关系、图例等。

3 站区竖向布置图应包括下列内容：

1）标出站区各建（构）筑物、道路、配电装置场地及其他场地的设计标高，标明站内各建筑物的室内零米标高和室外设计标高；

2）标明场地及道路排水坡度及方向；

3）设置排水明沟时，标明排水沟的定位坐标、排水沟起点、变坡点、转折点和终点的设计标高，绘制排水沟详图；

4）示意雨水口平面位置；

5）标出指北针或风玫瑰图。

4 土方图应包括下列内容：

1）土方图用方格网绘制，方格网标注各方格点的原地面标高、设计标高、挖填高度，绘制土方挖填分界线，各方格土方量、总土方量等；

2）绘制土（石）方综合平衡表，见表 5.3.2-3；

表 5.3.2-3 土（石）方综合平衡表

序号	项目名称	单位	挖方	填方	备注
1	站区场地平整	m³			
2	进站道路	m³			
3	站区及进站道路表土	m³			
4	站区及进站道路清淤	m³			
5	建（构）筑物基槽余土	m³			
6	考虑最终松散系数	m³			
7	综合平衡后需购土/弃土	m³			
……	……				

注：1 当土方平整有石方量时，应单独列出，必要时明确石方岩性及风化程度；

2 表列项目可根据实际工程情况增减。

3)对土(石)方回填或开挖的技术要求作必要说明,对土(石)方的平衡情况进行说明。

5.3.3 计算内容包括各类技术经济指标的计算、站区及进站道路的土(石)方工程量计算。

5.3.4 计算深度应符合下列规定:

1 土(石)方工程量的平衡计算应计入建(构)筑物、站内外道路、防排洪设施等的基槽余土量;

2 应根据土壤性质正确确定土壤松散系数,对于场地内有深厚的软弱土层,又存在大面积回填土时,应计算其在施工期间因土体固结引起的土方工程量;

3 若为填方区或一般湿陷性黄土地区还应考虑压缩系数。

5.4 站区电缆沟及管沟

5.4.1 图纸内容包括站区电缆沟(管沟)平面布置图、沟道详图及节点详图。

5.4.2 图纸深度应符合下列规定:

1 平面布置图应标明指北针、站区电缆沟(管沟)、埋管、过水槽的平面定位尺寸、标高、排水方向、坡度等;标明电缆沟(管沟)断面尺寸;统计各种规格电缆沟长度;说明电缆沟(管沟)变形缝设置要求;

2 沟道详图及节点详图应绘制各类沟道剖面图,标明沟道底板、侧壁、盖板(普通盖板和过道路盖板)的材料、厚度和做法;标明沟底横坡坡度及预埋件做法;绘制沟道转角、伸缩缝、压顶、沟壁穿管、室内外交接节点、过道路断面、预埋件详图等。

5.5 站区道路及搬运轨道

5.5.1 图纸内容包括进站道路平面布置图及详图(包括还建道路),站内道路及广场、硬化地坪平面布置图及详图,根据需要绘制进站道路纵断面图和横断面图、搬运轨道平面布置图及详图。

5.5.2 图纸深度应符合下列规定：

1 进站道路平面布置图应包括下列内容：

1）指北针；

2）道路的定位坐标、道路宽度、转弯半径、超高、平曲线加宽等；

3）道路路面中心控制点标高、纵向坡度等；

4）道路箱涵（或管涵）、排水沟、边坡挡墙等的定位尺寸。

2 进站道路详图应包括下列内容：

1）道路路面、路基及两侧排水沟的做法；

2）纵向及横向缩缝、施工缝、胀缝的间距及构造详图；

3）必要时标明道路超高等做法；

4）道路管涵、箱涵、边坡挡墙等做法；

5）必要时绘制进站道路纵断面图，绘制进站道路纵断面线、原始地面线以及穿越道路的涵管；标注进站道路桩号所对应的路面设计标高、原始地面标高、平曲线设置及曲线要素、竖曲线设置及曲线要素；

6）必要时绘制进站道路各桩号所对应的横断面图，标明路面中心及路肩边缘设计标高、路面中心填挖高度；计算路基土（石）方工程量，绘制路基土（石）方计算表。

3 站内道路、广场及硬化地坪平面布置图应包括下列内容：

1）站内道路、广场及硬化地坪定位坐标、道路宽度、转弯半径等；

2）站内道路、广场及硬化地坪控制点标高、纵向坡度等；

3）必要时标明道路平曲线及竖曲线要素。

4 站内道路、广场及硬化地坪详图应绘制各类道路、广场及硬化地坪的横断面图并注明材料、构造、厚度和做法；标明胀缝、施工缝、纵向及横向缩缝的间距并绘制其构造详图；明确场地处理方式及做法。

5 搬运轨道平面布置图应包括下列内容：

    1）搬运轨道中心线与邻近道路中心的相对尺寸、钢轨中心线之间的间距及轨道起点、终点坐标或尺寸、纵向坡度等；

    2）搬运轨道基础轮廓尺寸、搬运轨道顶部埋铁的定位尺寸；

    3）示意牵引孔基础轮廓及定位尺寸等。

6 搬运轨道详图应包括下列内容：

    1）搬运轨道的横断面图，标注基础分尺寸及结构配筋；

    2）搬运轨道与电缆沟、排油管交叉处详图；

    3）基础孔洞、埋件的位置、尺寸，绘制孔洞加强配筋详图和埋铁详图；

    4）牵引孔基础断面图和配筋详图；

    5）基础伸缩缝的间距及构造详图；

    6）制钢轨接头、交叉点节点及钢轨与基础连接等详图。

5.6 站区围墙、挡土墙及护坡

5.6.1 图纸内容包括站区围墙平面布置图、围墙施工图、土方图、挡土墙及护坡施工图、站外排（截）水沟施工图。

5.6.2 图纸深度应符合下列规定：

1 站区围墙平面布置图应包括下列内容：

    1）围墙的定位坐标、指北针；

    2）挡土墙及护坡的定位坐标和分段范围；

    3）站外排（截）水沟的定位坐标、起点深度和坡向坡度等；

    4）需要预先在围墙下预埋的管道、电缆沟道、通信管道等。

2 围墙施工图应包括下列内容：

    1）围墙立面及剖面图，围墙墙身、压顶、基础等的材料和做法；

    2）当采用装配式围墙时应标明板的材料、型号和规格、装饰板的形式（必要时应绘制详图）及安装节点构造；

    3）墙面装饰、墙身及伸缩缝的要求及做法；

    4）墙身预埋件和预留孔洞的要求及做法。

3 挡土墙及护坡施工图应包括下列内容：

    1) 挡土墙及边坡的立面、剖面图及构造详图；

    2) 挡土墙、边坡护面所用材料的品种、型号及规格，变形缝的间距及做法，泄水孔的标高、间距及做法。

    4 站外排(截)水沟施工图应标明站外沟道的平面定位坐标，排水沟起点、变坡点、转折点和终点的设计标高，绘制站外排(截)水沟详图。

5.6.3 计算内容包括围墙及基础计算、挡土墙及基础计算、边坡计算。

5.6.4 计算深度应符合下列规定：

    1 确定挡土墙的材料及形式，根据挡土墙高度、土壤性质、上部荷载等工况进行强度、稳定的计算；

    2 根据地质资料，采用经济合理的护坡形式；

    3 如果采用锚杆支护等形式，应根据岩层的破坏形式及山体的整体稳定等因素确定锚杆的长度、注浆要求等；

    4 根据地基承载力计算以上构筑物基础；

    5 站外排(截)水沟断面根据水文资料计算确定。

5.7 建筑物建筑设计

5.7.1 图纸内容包括建筑设计说明、门窗一览表及订货图、平面图、立面图、剖面图及相关节点详图等。

5.7.2 图纸深度应符合下列规定：

    1 建筑设计说明应包括下列内容：

        1) 说明建筑物室内地面±0.000m 相对标高与总图绝对标高的关系，以及标高和尺寸的计量单位；

        2) 列出建筑物的"主要技术经济指标一览表"，内容应包括建筑物的占地面积、建筑面积、建筑高度、建筑层数、安全等级、设计使用年限、火灾危险性类别、耐火等级、抗震设防烈度及屋面防水等级，见表 5.7.2-1；

表 5.7.2-1 主要技术经济指标一览表

占地面积	建筑面积	建筑高度	建筑层数	安全等级	设计使用年限	火灾危险性类别	耐火等级	抗震设防烈度	屋面防水等级

3）对建筑设计采取的主要技术措施（包括电磁屏蔽、接地、气密、防火、疏散、防水、防潮、排水、保温、隔热、隔声、采光、通风、抗风、防腐、防虫鼠、防坠落、防电击、防物体打击等）应作文字说明；

4）对建筑物采用的砌体材料和砌筑砂浆以及选用的金属墙面、屋面围护材料应作文字说明；对墙身防潮层、外墙面、内墙面（含墙裙）、顶棚、踢脚、地面、楼面、屋面等部位采用的建筑装修材料和建筑构造做法应作文字说明或部分文字说明、部分在图中引注或加注索引号；对内部功能用房较多的建筑物（如控制楼、综合楼），宜列出"房间一览表"，标明各功能用房的房间名称、使用面积和净高以及地面或楼面、内墙面、顶棚、踢脚等部位的建筑装修材料（注明材质、色泽和规格），见表 5.7.2-2；

表 5.7.2-2 房间一览表

序号	房间名称	使用面积（m²）	净高（m）	房间各部位建筑装修材料			
				地面或楼面	内墙面	顶棚	踢脚
1							
2							
3							
4							
……							

5）对建筑物的雨篷、窗台、楼梯、平台、阳台、勒脚、散水、花台、台阶、坡道、屋面出水口、水落管等构配件以及栏杆、围栏、吊物孔、作业梯、电梯井、电缆沟及电缆竖井、通风道及通风竖井、管沟及管道竖井、排水沟、集水坑等设施采用的建筑装修材料和建筑构造做法应作文字说明或部分文字说明、部分在图中引注或加注索引号；

6）对建筑物内部设置的吊车（或单轨吊），应注明主要技术参数（包括额定起重量、起升高度、行驶速度、自重等）及台数；对建筑物内部设置的电梯，应注明主要技术参数（包括额定载重量、行驶速度、轿厢尺寸、开门尺寸等）及台数；

7）对建筑墙体、楼板、屋面板等部位预留孔洞的封堵措施应作文字说明或部分文字说明、部分在图中引注或加注索引号。

2 门窗一览表及订货图应包括下列内容：

1）对建筑物的门窗应按不同类别和型号进行编号和数量统计，列出"门窗一览表"，标明门窗的类别、设计编号、洞口尺寸、门窗图集及代号、过梁图集及代号、数量、形式及技术要求等，见表 5.7.2-3；应对门窗型材和玻璃的材质、厚度、颜色作明确规定，应对门窗性能指标（如防火、隔声、抗风压、隔热、气密、水密等）提出具体要求，并应对门窗安装、五金零件及防盗、防虫鼠措施提出相关要求；

表 5.7.2-3　门窗一览表

类别	设计编号	洞口尺寸(mm)		门窗图集号及代号		过梁图集号及代号		数量（樘）	形式及技术要求
		宽	高	图集号	代号	图集号	代号		
门									
窗									

2）对无法索引标准图集的门窗绘制门窗订货图,应标示门
窗的分格、开启方式、开启方向、型材规格、玻璃材质和
厚度、外形尺寸(包括总尺寸、分尺寸)等,宜示意闭门
器、门铰链、锁具、拉手等的位置。

3 平面布置图应包括下列内容:

1）绘出建筑内外墙体、结构(或构造)柱及门窗,并示意门的
开启方向,标注内外墙体的厚度、结构(或构造)柱的截面
尺寸及门窗的设计编号;

2）标注建筑物的定位轴线及编号以及三道尺寸线(包括总
尺寸、轴间尺寸及细部尺寸);

3）标注建筑物内部功能用房及部位的名称和地面、楼面标
高;楼梯应标注上下方向和步级数量、尺寸;当楼梯间、电
梯井、卫生间等需另行绘制放大的平面布置图和节点详
图时,应在图中标注索引文字及索引号;

4）绘出建筑物的雨篷、阳台、平台、散水、花台、台阶、坡道等
构配件的布置,并标注定位尺寸;当上述建筑构配件需另
行绘制节点详图时,应在图中标注索引文字及索引号;

5）绘出建筑物的围栏、栏杆、作业梯、电梯及电梯井、吊车
(或单轨吊)及轨道、吊物孔、巡视走道、电缆沟、电缆竖
井、通风道、通风竖井、管沟、管道竖井、排水沟、集水坑等
设施的布置,并标注定位尺寸;作业梯还应标注上下方向
和步级数量、尺寸;不可见的吊车(或单轨吊)及轨道应以
虚线绘出;当上述建筑设施需另行绘制节点详图时,应在
图中标注索引文字及索引号;

6）绘出建筑物墙面、楼面的预留孔洞和预埋件,并标注定位
尺寸及标高;当墙面预留孔洞和预埋件较多时,宜单独绘
制墙面预留孔洞和预埋件布置图;

7）首层平面布置图应标注建筑物的剖切线位置、方向和编
号;剖切位置应选在建筑内部空间较复杂、代表性较强的

部位,尽量反映建筑物的剖面特征;

8)首层平面布置图应标注指北针;

9)对于联合建筑(如阀厅、控制楼、户内直流场等),宜在平面布置图的空白区域绘出缩小的本建筑物与其他建筑物平面轮廓组合示意图,标注分区编号,并采用图案填充的方式标示本建筑物的位置;

10)绘出本建筑物与相邻建筑物之间的关系,并标注相关定位尺寸、节点详图的索引文字及索引号;

11)对设有电缆夹层的建筑物,应绘制电缆夹层平面布置图,标示防火分区、疏散出口、疏散楼梯、外接电缆隧道(或电缆沟)、通风道、通风竖井、管沟、管道竖井、排水沟、集水坑等,并示意地面、排水沟的排水坡向和坡度;

12)对建筑物内部设有吊顶的房间或部位,应单独绘制吊顶平面布置图,标示吊顶板的分格、灯具和送/回风口布置等,并标注吊顶板的定位尺寸和标高;

13)首层平面布置图应标示水落管,并标注水落管的材质、规格及其定位尺寸。

4 屋顶平面图应包括下列内容:

1)绘出建筑物的女儿墙、檐口、天沟、屋脊、屋面出水口、水落管等部位和构配件,作业梯、围栏、栏杆、巡视通道、通风竖井、管道竖井、设备基础等设施,以及预留孔洞、预埋件、变形缝、分仓缝等,并标注定位尺寸,注明屋面出水口和水落管的材质、规格;当上述建筑部位、构配件及设施需另行绘制节点详图时,应在图中标注索引文字及索引号;

2)标注建筑物的主要定位轴线及编号,并标注屋顶范围与定位轴线的关系尺寸;

3)示意屋面分水线、天沟分水线,标注排水坡向及坡度。

5 立面图应包括下列内容:

1）绘出投影方向可见的建筑外轮廓线和墙面线脚,女儿墙、檐口、天沟、屋脊、梁、柱、门窗、楼梯、雨篷、阳台、平台、花台、台阶、坡道、勒脚、屋面出水口、水落管等部位和构配件,作业梯、围栏、栏杆、巡视走道(或通道)等设施以及预留孔洞、预埋件、变形缝等,标注尺寸和标高;当上述建筑部位、构配件及设施需另行绘制节点详图时,应在图中标注索引文字及索引号;

2）标注建筑物两端的定位轴线及编号;

3）对立面图中无法表达的建筑内部院落可在相关剖面图中绘出,当剖面图仍不能完全表达时应单独绘制局部立面图;

4）当建筑外墙设有粉刷分格线时,应在立面图中标示;

5）绘出本建筑物与相邻建筑物之间的关系;

6）标注平面图中无法注明的窗编号;

7）标明建筑外墙各部位的建筑装修材料和色彩。

6 剖面图应包括下列内容:

1）剖切位置应选在建筑内部空间较复杂、代表性较强的部位;建筑内部空间有较大不同时均应绘制剖面图,建筑内部空间局部不同时可绘制局部剖面图;

2）标注建筑墙体、柱等处的定位轴线及编号;

3）绘出建筑物的室外地面、室内地坪、电缆夹层地坪、楼板、梁、柱、屋架、屋面板、女儿墙、檐口、天沟、屋脊、门窗、楼梯、雨篷、阳台、平台、花台、台阶、坡道、勒脚、屋面出水口、水落管等部位和构配件,作业梯、围栏、栏杆、吊物孔、巡视走道(或通道)、电梯及电梯井、吊车(或单轨吊)及轨道、电缆沟、电缆竖井、通风道、通风竖井、管沟、管道竖井、排水沟、集水坑等设施以及预留孔洞、预埋件、变形缝等的剖切部分、可见投影部分,标注标高和尺寸(包括总尺寸、层间尺寸、细部尺寸)等;当上述建筑部位、构配件及设施需另行绘制节点详图时,应在图中标注索引文字及索引号。

7 建筑节点详图可自行绘制,也可索引标准图集或通用图集;当自行绘制节点详图时,应将该节点的选用材料规格、构造尺寸、安装方式、预留孔洞及埋件、构造做法等标示清楚,并在每个节点详图的下方注明该节点详图的序号。

5.8 建筑物结构设计

5.8.1 图纸内容包括结构设计说明、基础平面布置图及详图、地下电缆层结构平面布置及详图、框架柱平面布置及配筋图、框架梁板布置及配筋图、楼梯平面结构布置及配筋图、钢结构布置图、钢结构节点详图、吊车梁布置及详图、零米地下设施图等。

5.8.2 图纸深度应符合下列规定:

1 结构设计说明应包括下列内容:

   1)注明±0.000 标高对应的绝对标高和标高、尺寸的单位;

   2)根据工程地质报告说明地震动峰值加速度、建筑场地类别、地基的液化等级等;

   3)说明采用的设计荷载,包含风荷载、雪荷载、楼屋面允许使用荷载、特殊功能房间的活荷载标准值;

   4)说明建筑物结构安全等级、设计使用年限、抗震设防类别和抗震设防烈度、结构的抗震等级、地基基础设计等级、混凝土构件的环境类别、地下室的防水等级和砌体结构施工质量控制等级;

   5)说明所选用结构材料的品种、规格、性能及相应的产品标准,当为钢筋混凝土结构时,应说明受力钢筋的保护层厚度、锚固长度、搭接长度、接头连接方式,注明某些构件或部位材料的特殊要求;

   6)根据水文地质情况,说明地下水对混凝土、混凝土中的钢筋、钢结构的腐蚀性,并明确基础设计的防腐蚀要求;

7）说明所采用的通用做法和标准构件图集，如有特殊构件需进行结构性能检验时，应指出检验的方法与要求；

8）应对钢结构所用的主材及连接材料的材质要求作出规定，包括其力学性能及化学成分等，对钢结构的除锈、防腐、防火要求及做法应在总说明中明确；

9）应注明钢结构的吊装顺序和确保结构稳定的措施，应明确焊缝形式和焊接质量的等级要求、角焊缝焊脚的构造规定；

10）对于钢结构详图中的通常做法可在结构总说明中作统一规定，凡未注明者均按总说明执行，例如节点板的厚度、焊缝高度、焊缝长度、角钢基准线、螺栓间距及边距等；

11）对于螺栓连接应明确螺栓的品种、型号与规格；对于摩擦型高强螺栓连接应明确摩擦面的处理及抗滑移系数的要求，承压型高强螺栓连接只需提出清除连接处构件接触面的油污及浮锈；

12）说明施工中应遵循的施工规范和注意事项；

13）说明其他需要说明的内容。

2　基础平面布置及详图应包括下列内容：

1）根据建筑物的结构形式和工程地质条件，选择经济合理的基础形式，绘出基础平面布置图；常规的地基基础形式有独立基础、条形基础、筏基及桩基；

2）对于独立基础，应绘出基础的平面、剖面、配筋、基础梁、基础垫层，标注总（分）尺寸、标高及轴线关系；

3）对于条形基础，应绘出基础的平面、剖面、配筋、圈梁、防潮层、基础垫层，标注总（分）尺寸、标高及轴线关系；

4）对于筏基，应按照现浇梁板详图的方式表示，并绘出钢筋混凝土墙、柱位置，标注总（分）尺寸、标高及轴线关系；

5）对于桩基，应绘出承台及承台梁详图，并绘出桩位置、桩

详图、桩插入承台的构造详图,标注总分尺寸、标高及轴线关系;

6)如采用装配式钢结构预埋地脚螺栓柱脚,基础应绘制预埋锚栓布置图及其详图,给出预埋锚栓的误差范围,基础短柱应设置抗剪键的坑槽,并注明钢柱安装校正后二次灌浆的要求;

7)如采用装配式钢结构插入式柱脚,基础应绘制杯口的平面尺寸、深度及配筋详图,给出杯口底部找平层厚度,注明钢柱安装校正后二次灌浆的要求,强调二次灌浆养护期保证钢柱稳定性的施工措施;

8)根据规范要求提出沉降观测要求及测点布置;

9)说明中应包括基础持力层及基础进入持力层的深度,地基的承载能力特征值,基底及基槽回填土的处理措施与要求以及对施工的有关要求。

3　地下电缆层结构平面布置及详图应包括下列内容:

1)根据建筑提供的平面布置图绘出结构平面布置图,并绘出与建筑图一致的轴线网及墙、柱、梁等位置,注明梁柱编号;

2)明确地下室的抗渗等级以及施工缝、后浇带等的设计要求;

3)标明地沟、地坑、预留孔洞、预埋管件等的平面位置、尺寸和相关标高;

4)绘制底板、立墙配筋图。

4　框架柱平面布置及配筋图应包括下列内容:

1)标注各柱的平面尺寸及轴线定位,注明柱编号,表示各柱的高度;

2)绘出每种柱的配筋图,可采用平法布置表示。

5　框架梁板平面布置及配筋图应包括下列内容:

1)绘出定位轴线及梁、柱、承重墙、抗震构造柱等定位尺寸,并注明其编号和楼层标高；

2）绘出梁的配筋，可采用平法布置表示；

3）现浇板应注明板厚、板面标高、配筋，标高或板厚变化处绘局部剖面，有预留孔、埋件、设备基础时应标示出规格与位置，洞边加强措施；

4）有圈梁时应注明位置、编号、标高，可用小比例绘制单线平面示意图；

5）屋面结构平面布置图内容与楼层平面类同，当结构找坡时应标注屋面板的坡度、坡向、坡向起终点处的板面标高，当屋面上留洞或其他设施时应绘出其位置、尺寸与详图，女儿墙或女儿墙构造柱的位置、编号与详图；

6）对于现浇钢筋混凝土结构应绘制节点构造详图；当选用标准图中节点或另绘节点构造详图时，应在平面图中注明详图索引号。

6 楼梯平面结构布置及配筋图应包括下列内容：

1）绘出每层楼梯结构平面布置及剖面图，注明间距尺寸、构件代号、标高；

2）绘制梯梁、梯板的配筋，可采用平法布置表示；

3）配合建筑节点绘制结构配筋详图。

7 钢结构布置图应包括下列内容：

1）绘制钢柱平面布置图、柱间支撑布置图、屋架支撑布置图、钢屋架详图、围护系统檩条布置图等；

2）钢柱平面布置图应标明柱网尺寸、构件编号及其截面规格尺寸；

3）柱间支撑布置图应绘出立面（必要时加平、剖面），应标明轴线定位总（分）尺寸、支撑位置、编号及截面规格尺寸，示意钢柱轮廓线、柱拼接节点位置，标注支撑关键定位分尺寸和标高等；

4）屋架支撑布置图应标注上弦横向支撑、下弦水平支撑、竖

向支撑、水平系杆等与轴线间的定位尺寸,示意钢屋架轮廓线,同时注明构件编号和截面规格尺寸、节点索引符号等;

5)钢屋架详图应绘制构件几何尺寸单线图,注明各构件的位置、编号及规格、连接节点位置、详图索引号等;标注构件规线距、端部截距、缀板间距、节点板控制尺寸等;应绘制上、下弦杆剖面和关键大样(如支座节点、主材拼接节点等);列出构件材料表;

6)围护系统檩条布置图应标明墙檩、屋檩的间距、标高、拉条的定位尺寸,注明构件编号和截面规格尺寸、节点索引符号等;墙面洞口处,标注洞口边框构件的定位分尺寸、标高;应绘制必要的剖面,示意檩条、洞口边框构件和主体钢构件的空间相互位置关系;列出构件材料表。

8 钢结构节点详图应包括下列内容:

1)标注节点的详图名称或索引详图编号;

2)标有构件型号及构件间相互关系的节点构造形式详图;

3)当采用螺栓连接时,各节点大样图中应标明相关构件的相互位置,连接所需要的螺栓的排列、个数、规格,连接板材的尺寸、材质要求、加工精度,宜对各连接板件进行编号;

4)当采用焊接连接时,各节点大样图中应标明相关构件的相互位置,连接所需要焊缝的型式、尺寸、长度、连接板材的尺寸、材质要求、加工精度、焊缝等级及检验标准,宜对各连接板件进行编号;

5)列出钢结构节点连接件统计表(如需要),包括构件规格、尺寸、材质、数量、重量等。

9 吊车梁布置及详图应包括下列内容:

1)应明确吊车工作制、起重量等主要参数、吊车梁的安装要求及误差;

2）吊车梁布置图应标注建筑物柱网、吊车梁与轴线间的定位尺寸、吊车梁编号及车挡定位,示意吊车梁轮廓线,并标注吊车梁轨顶标高、梁柱和吊车梁之间连接节点的索引符号等;

3）钢吊车梁应明确钢材材质等级、截面型号、焊缝质量等级及防腐等要求,必要时绘制加劲肋布置图,并提供钢材明细表;

4）绘制梁柱连接、梁间连接、支座、车挡等连接详图,应标连接节点板规格及定位、焊缝类型和尺寸等、螺栓孔的布置、连接螺栓的规格及数量等。

10 零米地下设施图应包括下列内容:

1）根据工艺要求绘制设备基础及地坪沟道布置图,示意设备基础中心线与建筑物轴网的相对关系,标注其定位尺寸及长度和宽度等分尺寸;并沿沟道纵向标注沟底找坡标高;

2）绘制基础及沟道配筋图,以平面图、剖面图表示出基础的外形尺寸,埋深及配筋,当埋深不一致时应分别标注;

3）根据工艺要求设置预留孔、预埋件,标注预留孔、预埋件的定位尺寸及大小;

4）绘出预埋件平面、侧面,注明尺寸、钢材和锚筋的规格、型号、性能、焊接要求;

5）根据工艺提供的资料绘制设备基础预留管沟或预埋管;

6）对大体积设备基础,明确特殊施工要求(如后浇带、伸缩缝等),设置沉降观测点,明确沉降观测点的平面布置、详图及观测要求,如有必要,应注明设备基础顶面平整度的要求。

5.8.3 计算内容包括结构内力、强度、刚度和变形等计算,主体结构、独立构件和节点连接的计算以及地基基础计算。

5.8.4 计算深度应符合下列规定：

1 结构内力、强度、刚度和变形计算应包括下列内容：

1）结构计算书应给出结构平面布置简图和计算简图；结构计算书内容应完整、清楚，计算步骤要条理分明，引用数据有可靠依据，采用计算图表及不常用的计算公式，应注明其来源出处，构件编号、计算结果应与图纸一致；当采用计算机软件计算时，应在计算书中注明所采用的计算机软件名称、代号、版本及编制单位，电算结果应经分析认可，且总体输入信息、计算模型、几何简图、荷载简图和结果输出应整理成册；

2）采用结构标准图或重复利用图时，宜根据图集的说明结合工程进行必要的核算工作，且应作为结构计算书的内容。

2 楼梯、阳台、过梁、墙檩、屋檩、雨篷等构件计算应包括下列内容：

1）根据上部恒载、活载的荷载组合情况，进行构件的内力、变形计算，并完成构件配筋或截面选择；

2）悬挑结构应考虑其对主体结构的剪、扭作用；

3）抗震设防区还应按照现行国家标准中有关建筑抗震设计的相关规定，进行地震作用的计算。

3 地基基础计算应包括下列内容：

1）根据建筑物的建筑类别、上部荷载、所在区域的地质条件，选择相应的基础形式，进行相应的地基基础、地基承载力及变形沉降计算；

2）采用独立基础时应对基础的总高度及变阶处的高度进行冲切及抗剪计算，同时进行底板的配筋计算；采用条形基础时，取 1m 长度的基础进行强度和配筋计算；

3）采用桩基时，应进行单桩承载力计算、承台下群桩承载力验算和承台的抗弯、抗剪、抗冲切计算。必要时应进行群

桩承台的沉降计算;采用复合地基时,应进行复合地基承载力计算和沉降计算;

　　4)必要时对地下结构进行抗浮验算;

　　5)地基遇有软弱下卧层时,应进行软弱层地基承载力及地基变形验算;

　　6)抗震设防区还应按照现行国家标准中有关建筑抗震设计的相关规定,进行地震作用下地基承载力的验算。

5.9　变压器、电抗器基础及防火墙

5.9.1　图纸内容包括变压器(电抗器)基础平面图及详图、防火墙梁柱及基础详图,油坑详图等。

5.9.2　图纸深度应符合下列规定:

　　1　变压器(电抗器)基础平面图及详图应包括下列内容:

　　　　1)应绘制基础平面图和剖面图;

　　　　2)平面图中应标明储油坑、变压器(电抗器)基础集油井的平面尺寸以及变压器(电抗器)基础中心线、储油坑中心线和防火墙中心线之间的关系尺寸。标明变压器(电抗器)基础留孔、埋件、排油管的位置、尺寸、储油坑底排油坡度;若储油坑设置格栅,应绘制格栅平面布置及详图;

　　　　3)剖面图中应标明变压器(电抗器)基础的断面尺寸、储油坑和集油坑的高度和深度,并标明变压器(电抗器)基础、储油坑、集油坑等材料以及对卵石层的要求;

　　　　4)绘出变压器(电抗器)消防设施相关基础;

　　　　5)绘出变压器(电抗器)降噪设施相关基础;

　　　　6)根据需要设置沉降观测点,明确沉降观测点的平面布置及详图。

　　2　防火墙梁柱及基础详图应包括下列内容:

　　　　1)应绘制防火墙平面、立面和剖面图;

　　　　2)平面图中应标出平面尺寸、柱距及与变压器(电抗器)基

础的关系尺寸；

　3）剖面图中应标出防火墙的厚度、高度及框架梁的位置；

　4）绘出预埋件位置及详图；

　5）应绘制出基础详图及结构配筋图，梁、柱配筋可采用平法布置表示；

　6）注明使用的材料及施工要求。

5.9.3 计算内容包括变压器（电抗器）基础计算和防火墙计算。

5.9.4 计算深度应符合下列规定：

　1 变压器（电抗器）基础计算应包括下列内容：

　1）应进行地基承载力的计算；

　2）采用桩基时，应进行单桩承载力计算，承台下桩群承载力验算和承台的抗弯、抗剪、抗冲切计算，必要时应进行群桩承台的沉降计算；采用复合地基时，应进行复合地基承载力计算和沉降计算；必要时变压器（电抗器）基础应进行地震作用验算。

　2 防火墙计算应包括下列内容：

　1）防火墙根据不同的结构形式进行结构的强度、变形或稳定性计算；其基础应进行地基承载力计算，必要时应进行沉降计算；必要时防火墙应进行地震作用验算；

　2）对于防火墙顶安装电气设备情况，应进行设备底座连接节点计算。

5.10　构支架基础及设备基础

5.10.1　图纸内容包括构支架基础及设备基础平面布置图、构支架基础及设备基础详图、独立避雷针（独立避雷线塔）基础平面布置图及详图。

5.10.2　图纸深度应符合下列规定：

　1　构支架基础及设备基础平面布置图应包括下列内容：

　1）标明构架基础的平面位置尺寸与每个基础的外形尺寸；

2）设备支架基础及设备基础应标明相互间距、相间尺寸及与构架基础的关系尺寸；构架基础与支架基础及设备基础可合并绘制，也可单独绘制；

3）宜表示道路、电缆沟等构筑物的位置；

4）平面图中应标明指北针与纵横轴线坐标，设计±0.000标高所对应的绝对标高；

5）应列出必要的说明，如基础材料的要求、工程地质条件、地基处理的技术措施、地基基础的设计等级、地基承载力特征值或采用的桩基承载力特征值、检测值等，并宜按统一格式列出"基础一览表"。

2　构支架基础及设备基础详图应包括下列内容：

1）以平、剖面表示出基础的外形尺寸、杯口尺寸、垫层与埋深等，注明基础埋深，当埋深不一致时应分别标注；

2）根据工艺提供的资料绘制设备基础预留管沟，标明埋件大小、位置，说明设备基础面的平整度要求及埋件的防腐处理；如基础施工时需配合电缆埋管、接地件等预埋，宜补充相关说明；

3）采用钢筋混凝土基础应按结构配筋图的要求表示出配筋情况；

4）遇不良地基时，基础底部的加固形式、埋深、标高等均需标明；

5）对长度较长的 GIS、HGIS 等设备基础，明确特殊施工要求（如后浇带、伸缩缝等），设置沉降观测点，明确沉降观测点的平面布置、详图及观测要求；

6）基础使用材料、二次灌浆材料、杯口粗糙要求、绝对高程与标高的关系、地基承载力特征值等应加以注明。

3　独立避雷针（独立避雷线塔）基础平面布置图及基础详图应包括下列内容：

1）标明基础的平面位置尺寸与每个基础的外形尺寸；

2）宜表示道路、电缆沟等构筑物的位置；

3）平面图中应标明指北针与纵横轴线坐标；设计±0.000标高所对应的绝对标高；

4）应列出必要的说明，如基础材料的要求、工程地质条件、地基处理的技术措施、地基基础的设计等级、地基承载力特征值或采用的桩基承载力特征值、检测值等，并宜按统一格式列出"基础一览表"；

5）以平、剖面表示出基础的外形尺寸、杯口尺寸、垫层与埋深等，注明基础埋深，当埋深不一致时应分别标注；柱脚如采用预埋地脚螺栓方式，应明确地脚螺栓加工详图、地脚螺栓材质、预埋精度等要求；

6）采用钢筋混凝土基础应按结构配筋图的要求表示出配筋情况；

7）遇不良地基时，基础底部的加固形式、埋深、标高等均需标明。

5.10.3 计算内容包括构支架基础计算、设备基础计算、独立避雷针（独立避雷线塔）基础计算和柱脚连接计算。

5.10.4 计算深度应符合下列规定：

1 构支架基础计算，包括基础的地基承载力、抗拔与抗倾覆稳定验算；受拉柱脚验算管壁与二次灌浆混凝土，二次灌浆混凝土与杯壁之间的结合能力及二次灌浆混凝土的抗剪强度；基础配筋计算；

2 设备基础计算，包括基础的地基承载力、抗拔与抗倾覆稳定验算，GIS或HGIS基础地基不均匀沉降的计算；基础配筋的计算；短柱及埋件等强度的计算；

3 独立避雷针（独立避雷线塔）基础计算，包括基础的地基承载力与抗倾覆稳定计算；若采用桩基，对承台配筋进行计算；

4 柱脚连接计算，包括柱脚连接件的数量、规格，连接件的强度等。

5.11 构支架(含独立避雷线塔或独立避雷针)

5.11.1 图纸内容见表 5.11.1-1。

表 5.11.1-1 图纸内容

序号	图 纸 名 称	备 注
1	钢结构加工总说明	
2	设备支架平面布置图	
3	设备支架加工图	
4	构架透视图	
5	构架组装图	用于格构式结构
6	构架安装图	
7	构架柱结构详图	
8	横梁结构详图	
9	杆段加工制作图	用于格构式结构
10	梁柱通用节点详图	用于格构式结构
11	地线柱结构详图	
12	挂线板、节点连接详图	
13	柱脚连接详图	
14	横梁走道结构详图	
15	爬梯结构图	
16	法兰制造图	
17	构架避雷针详图	
18	爬梯结构详图	
19	独立避雷针(独立避雷线塔)组装图	
20	独立避雷针(独立避雷线塔)各杆段结构详图	

5.11.2 图纸深度应符合下列规定：

1 钢结构加工总说明应包括下列内容：

1）设计±0.000标高所对应的绝对标高；

2）本工程结构设计的主要依据，荷载资料、项目类别、工程概况、所用钢材牌号和质量等级（必要时提出物理、力学性能和化学成分要求）及连接件的型号、规格、焊接质量等级、防腐及防火措施。结构的安全等级和设计使用年限；

3）采用的设计荷载，包含风荷载、导线荷载、特殊部位的最大使用荷载标准值；

4）结构的变形规定、安装和使用要求以及构架梁起拱的要求；

5）所采用的通用做法和标准构件图集，如有特殊构件需作结构性能检验时，应指出检验的方法与要求；

6）施工中应遵循的施工规范和注意事项；

7）施工安装中应注意的操作工艺和质量要求。

2 设备支架平面布置图应包括下列内容：

1）各电气间隔的设备支架图可以与基础图一起绘制并列入设备支架基础平面布置图，也可单独绘制；

2）应表明指北针与纵横轴线的坐标；

3）宜按统一格式列出"设备支架一览表"，表中明确各种设备支架高度、杆型、安装图号等。

3 设备支架加工图应包括下列内容：

1）以立面表示出支架尺寸、标高、编号等，注明杆段的埋件位置、接地件及其方向等，标出与基础的连接方式；

2）应绘出与上部设备连接构造，加工要求；

3）绘出附件详图。

4 构架轴测图应包括下列内容：

1）绘出构架的全貌、定位轴线、标高、尺寸、构件编号，应绘出钢材汇总表；

2）注明构件钢材牌号、主材规格；

3）标明指北针。

5 构架安装图应包括下列内容：

1）构架轴线、标高、尺寸、构件编号；

2）附属构件如爬梯的编号、位置。

6 柱结构详图应包括下列内容：

1）表明构架的正视与侧视，注明构架的尺寸、高度及根开尺寸；

2）表明构架梁与柱及柱与基础的连接方式以及埋置深度，明确柱脚接地方式及方向。连接节点大样图画入本图也可单独绘制；

3）图中应注明节点编号与构件编号（或代号）并按统一格式列出"材料汇总一览表"；

4）当构架柱采用钢筋混凝土环形截面杆时，还应表明环形杆柱的分段尺寸及分段编号；

5）给出必要的设计说明及施工注意事项；

6）对格构式构架应绘制柱的单线图，图中应注明不同节间长度的主斜材两端间的中心尺寸，并增加表格说明不同编号柱的根开尺寸和底部变化段主斜材尺寸。

7 横梁结构详图应包括下列内容：

1）格构钢横梁需画出结构单线展开图，在图中应注明不同节间长度的斜材两端间的中心尺寸；

2）绘出钢梁的正视（仰视）以及端部、分段处、挂线板等断面处的结构外形图、应表明主斜材、节点板、缀板（条）的编号和尺寸以及焊缝的要求。如为螺栓连接，应标明连件的规格、垫圈、螺杆长度、螺孔布置等。总、分尺寸应齐全；

3）应注明梁端与连接构件（如构架柱）的关系尺寸，连接形

式,表明挂线板的材料型号与主材的连接方式以及挂线孔的位置尺寸。非对称梁应注明安装方向;

4) 主斜材的连接应绘制大样图,以确定斜材的长度与切角尺寸,并注明杆件末端至几何交点的尺寸;

5) 钢构件的编号宜由主材—斜材—腹杆—节点板从左到右从下到上;

6) 绘制支座节点、拼装节点大样图,连接螺孔的孔距、孔径,注明连接螺栓规格、长度与丝扣长度。当主要接头需双螺帽时,应特别注明;

7) 图中应按统一格式列出"材料明细表";

8) 标明横梁预起拱值。

8 杆段加工制作图应包括下列内容:

1) 用立面图、剖面图、大样图表明杆段各部分构造。如采用钢筋混凝土环形杆,应绘出主筋和构造筋配置,螺旋筋和内钢箍间距、穿钉管、预埋件的位置、接头构造等。当采用钢管杆分段连接时,应注明分段尺寸及分段编号;

2) 为便于加工,可将各分册所使用的杆段加工图汇总绘制在一张图上,此时不同规格的杆段,可按上段、中段、下段分类,仅画出单线外形图,对杆段端部、接头处、接地螺母、预埋件以及特殊要求处可绘出局部大样图,并分类标明;

3) 图纸中应附"材料明细表",表内应注明混凝土与钢筋的强度等级、杆段段别、材料编号、规格、尺寸、数量、单件及小计重。

9 独立避雷针(独立避雷线塔)组装图应包括下列内容:

1) 绘出避雷针(避雷线塔)的正视图,注明各分段的尺寸、宽度、高度;绘出接地件的规格、数量及连接方式;

2) 标示避雷针(避雷线塔)与基础的连接方式;

3) 正视图中应注明杆段的编号(或代号)并按统一格式列出

"构件一览表";

4）给出必要的设计说明及施工注意事项。

10 独立避雷针（独立避雷线塔）各杆段的结构详图应包括下列内容：

1）用立面图、剖面图、大样图表明杆段各部分构造；

2）杆段端部、接头处、挂线板以及特殊要求处应绘出局部大样图，并在"材料明细表"中分类列出；

3）图纸中应附"材料明细表"，表内应注明材料的强度等级、杆段编号、材料编号、规格、尺寸、数量、单重及重量小计。

5.11.3 计算内容包括构架强度与稳定、变形计算的荷载组合计算；横梁构件的强度、稳定、挠度计算；柱的强度与稳定、变形计算；连接件的强度计算；支架的强度、稳定与变形计算。独立避雷针（独立避雷线塔）振动周期计算、强度和变形计算。

5.11.4 计算深度应符合下列规定：

1 构架强度与稳定、变形计算的荷载组合计算，根据电气专业提供的荷载对各工况下的最不利组合进行计算；

2 横梁构件的强度、稳定、挠度计算，验算主、斜材的强度和稳定，对水平斜材验算局部弯曲应力，对横梁的整体挠度进行验算；

3 柱的强度与稳定、变形计算，按受力性质进行受弯、偏压或偏拉的强度计算外，对钢筋混凝土环形杆还应进行裂缝宽度计算；

4 连接的强度计算，钢梁或钢柱分段连接处的焊接或螺栓连接等进行强度和变形计算；

5 支架的强度、稳定与变形计算应包括下列内容：

1）按受力性质进行强度和稳定计算，对钢筋混凝土环形杆裂缝宽度进行计算；

2）对抗震设防区，应进行地震作用的计算。

6 独立避雷针（避雷线塔）振动周期、强度和变形计算应包括下列内容：

1）按需要对独立避雷针（独立避雷线塔）进行振动周期计算；

2）强度和变形的计算时，对独立避雷线塔应进行最不利挂线工况强度验算。

5.12 水工构筑物

5.12.1 图纸内容包括结构设计总说明、水工构筑物的平面布置、剖面及节点图、配筋图。

5.12.2 图纸深度应符合下列规定：

1 结构设计总说明应包括下列内容：

1）注明±0.000标高对应的绝对标高和标高、尺寸的单位；

2）根据工程地质报告说明地震动峰值加速度、建筑场地类别、地基的液化等级等；

3）说明采用的设计荷载，包含风荷载、雪荷载、楼屋面允许使用荷载；

4）说明构筑物结构安全等级、设计使用年限、抗震设防类别和抗震设防烈度、结构的抗震等级、地基基础设计等级、混凝土构件的环境类别和砌体结构施工质量控制等级；

5）说明所选用结构材料的品种、规格、性能及相应的产品标准，当为钢筋混凝土结构时，应说明受力钢筋的保护层厚度、锚固长度、搭接长度、接长方法，注明某些构件或部位材料的特殊要求；

6）根据水文地质情况，说明地下水对混凝土、混凝土中的钢筋、钢结构的腐蚀性，并明确基础设计的防腐蚀要求；

7）说明所采用的通用做法和标准构件图集，如有特殊构件需做结构性能检验时，应指出检验的方法与要求；

8）对于详图中的通常做法可在结构总说明中作统一规定，凡未注明者均按总说明执行，例如焊缝高度、焊缝长度等；

9）说明施工中应遵循的施工规范和注意事项；

10）给出其他需要说明的内容。

2 水工构筑物的平面布置、剖面及节点图应包括下列内容：

1）平面布置图中应示意水工构筑物的轮廓线及主要尺寸，同时根据工艺专业所提资料，在平面布置图中标示设备埋件、管道及预留孔口的位置，并注明其尺寸等；

2）标明水工池体的底板、顶板及侧壁厚度、埋深等尺寸，标明设备基础的底板厚度、埋深等尺寸；

3）绘出检修孔、爬梯、埋件等布置位置及节点图；

4）附必要的说明，如池体的抗渗等级、施工缝的处理、套用的标准图集及施工的注意事项等；扼要说明有关地基概况，对不良地基的处理措施及技术要求、地基基础的设计等级、持力层地基承载力特征值，基底及基槽回填土的处理措施与要求，说明防止结构上浮的措施。

3 配筋图应包括下列内容：

1）池体底板、顶板和侧壁配筋图，钢筋大样图，设备基础底板配筋图；

2）池体孔洞附加钢筋图；

3）附必要的说明，如钢筋、混凝土的材料，钢筋保护层厚度等。

5.12.3 计算内容包括事故油池容积计算、抗浮计算及池体底板、顶板、侧壁配筋计算、沉降计算等。

5.12.4 计算深度应符合下列规定：

1 事故油池容积计算，计算确定事故油池的有效容积；事故油池必须分隔以便油水自动分离；

2 抗浮计算，当地下水位较高时，应进行池体抗浮计验算；

3 池体底板、顶板、侧壁计算，顶板、底板和池壁应进行内力、配筋及裂缝宽度等的计算；

4 沉降计算，如果池体有严格沉降要求，应补充沉降计算。

5.13 降 噪 设 施

5.13.1 图纸内容包括设计总说明、基础布置图及详图、钢结构布置图、钢结构节点详图、降噪材料布置图及安装图、降噪设施材料清册。

5.13.2 图纸深度应符合下列规定：

  1 设计总说明应包括下列内容：

    1) 简要论述降噪措施，明确降噪设计相关标准及规范；

    2) 说明降噪设施设计荷载、安全等级、结构设计年限、表面防腐年限、抗震设防类别、抗震设防烈度、结构的抗震等级等；

    3) 钢结构应对钢结构所用的主材及连接材料的材质要求作出规定，包括其力学性能及化学成分等，对钢结构防腐和涂装要求及做法应在总说明中明确；

    4) 说明降噪材料的性能要求，如声屏障板、吸声体、消声器和隔声门厚度、重量、规格、吸隔声性能等；

    5) 说明降噪设施通风要求，如轴流风机尺寸、重量、风量、风压、功率以及控制原理等；

    6) 说明降噪设施接地要求，包括降噪设施各金属部件之间接地、降噪材料与主体钢结构接地以及主体钢结构接地要求。

  2 基础平面布置及详图应包括下列内容：

    1) 根据降噪设施的结构形式和工程地质条件，选择经济合理的基础形式，绘出基础平面布置图。常规的地基基础形式有独立基础、条形基础及桩基；

    2) 钢柱柱脚如采用预埋地脚螺栓连接，基础应绘制预埋锚栓布置图及其详图，给出预埋锚栓的误差范围，并注明二次灌浆的要求；

    3) 标明基础联系梁的平面位置、尺寸、标高和配筋；

4)说明中应包括基础持力层及基础进入持力层的深度,地
　　　　基的承载能力特征值,基底及基槽回填土的处理措施与
　　　　要求,以及对施工的有关要求。

　　3　钢结构布置图包括钢柱平面布置图、钢梁平面布置图、柱
间支撑布置图等。

　　4　钢结构节点详图应包括下列内容:
　　　1)标注节点的详图名称或索引详图编号;
　　　2)标有构件型号及构件间相互关系的节点构造形式详图;
　　　3)当采用螺栓连接时,各节点大样图中应标明相关构件的
　　　　相互位置,连接所需要的螺栓的排列、个数、规格,连接板
　　　　材的尺寸、材质要求、加工精度,宜对各连接板件进行编
　　　　号;
　　　4)当采用焊接连接时,各节点大样图中应标明相关构件的
　　　　相互位置,连接所需要焊缝的形式、尺寸、长度、连接板材
　　　　的尺寸、材质要求、加工精度、焊缝等级及检验标准,宜对
　　　　各连接板件进行编号;
　　　5)钢结构节点连接件统计表(如需要),包括构件规格、尺
　　　　寸、材质、数量、重量等。

　　5　降噪材料布置图及安装图应包括下列内容:
　　　1)降噪材料布置图包括声屏障板布置图、吸声体布置图、轴
　　　　流风机布置图、消声器布置图、开孔布置图等;
　　　2)降噪材料安装图包括声屏障板安装图、吸声体安装图、轴
　　　　流风机安装图、消声器安装图、隔声门安装图等。

　　6　降噪设施材料清册应标明降噪材料序号、名称、型号与规
格、单位、数量、重量等。

5.13.3　计算内容包括结构内力、强度、刚度和变形等计算,柱、
梁、声屏障板等构件计算和基础计算。

5.13.4　计算深度应符合下列规定:

　　1　柱、梁、声屏障板等构件计算应包括:柱受弯或偏压的强度

和稳定、变形计算,梁受弯的强度和稳定、挠度计算,声屏障板的强度和挠度计算,梁柱连接处的节点板、焊接、螺栓连接计算;

2 基础计算应包括地基承载力和基础抗倾覆验算、基础配筋的计算,柱脚连接计算,确定节点板、连接件的数量、规格和焊缝尺寸等。

5.14 站区地基处理

5.14.1 图纸内容包括地基处理设计说明、地基处理平面布置图及地基处理详图。

5.14.2 图纸深度应符合下列规定:

1 地基处理设计说明应包括下列内容:

1)设计依据,包括采用的现行设计规范,地质报告简介及地基处理试验检测报告;

2)采用的地基处理方案及相关的参数,如复合地基的材料、预制桩的选型及沉桩方式、桩类型、规格、入土深度、桩端持力层及进入持力层的深度要求,明确单桩承载力的特征值及检测极限值等;

3)地基处理工程量一览表,对于灌注桩有桩基区域、桩长、桩径、桩数、桩体积等;

4)地基处理施工的要求及地基处理施工后的检测要求;

5)当采用人工复合地基时,应说明复合地基材料和性能要求,注明复合地基的承载能力特征值及压缩模量等有关参数和检测要求;

6)施工注意事项;

7)结合具体工程特点,对其他特殊要求如基础防腐、基坑降水等提出针对性处理措施。

2 地基处理的平面布置及详图应包括下列内容:

1)根据确定的方案,结合上部荷载情况,绘出单体或整个场地的处理平面布置图,如桩位布置图,应明确定位坐标,列工程量一览表；

 2）对为防止大面积沉降而设计的地基处理方案如真空预压、真空堆载联合预压、堆载预压等，则需要提出具体的加载方案、需要达到的固结度参数，绘出预压场地的平剖面图、排水沟道（盲沟、明沟）布置图及各种构造详图，并标注材料的规格、品种；

 3）当采用人工复合地基时，应绘出处理范围和深度，置换桩的平面布置；

 4）对于灌注桩，明确进入持力层的深度，桩顶标高、预估桩长、桩基的截面及配筋、钢筋保护层厚度、桩与承台连接详图、桩尖详图（如需要）等；

 5）对于预制桩，明确沉桩终止控制条件，预估桩长、桩接头构造详图、桩尖详图、桩与承台连接详图等。

5.14.3 计算内容和计算深度应符合下列规定：

 1 根据工程具体的地基处理方案进行相关的计算；

 2 当采用桩基时，应进行单桩承载力计算、承台下桩群承载力验算和承台的抗弯、抗剪、抗冲切计算；

 3 必要时应进行群桩承台的沉降计算；当采用复合地基时，应进行复合地基承载力计算和沉降计算。

6 水工及消防

6.1 施工图设计说明及主要设备材料清册

6.1.1 施工图设计说明及主要设备材料清册内容包括水工及消防施工图设计说明、卷册目录和主要设备材料清册。

6.1.2 施工图设计说明及主要设备材料清册深度应符合下列规定：

    1 水工及消防施工图设计说明应包括下列内容：

      1）列出主要设计依据；

      2）明确设计范围，改、扩建工程应说明原工程和本期工程范围以及接口情况；

      3）给水排水及消防系统的简述，包括供水水源与排水出口情况、各系统的工艺流程及主要设备参数等；

      4）提出施工及运行中注意事项；

      5）提出施工及验收标准。

    2 卷册目录应列出水工及消防施工图卷册目录，包括所有分册的名称和编号。

    3 主要设备材料清册应列出施工图设备的名称、型号与规格、单位、数量；标明主要材料的规格及数量。

6.2 站区室外给排水

6.2.1 图纸内容包括站区室外给水管道安装图、站区室外排水管道安装图、污水处理工艺流程及布置图、事故油池管道安装图、雨水泵站安装图、站外排水管道安装图等。

6.2.2 图纸深度应符合下列规定：

    1 站区室外给水管道安装图应包括下列内容：

1）平面图中绘制全部给水管网及水工建（构）筑物，并标注指北针、比例；

2）给水管道标明管道的管径、埋设深度、定位坐标或敷设的标高，标注管道长度，并绘制阀门井、消火栓、洒水栓等定位、编号；

3）说明管材及接口、管道基础、给水管道试验压力、管道防腐方法及敷设要求，图例符号说明，管道安装与施工应遵守的规范等；

4）标明小型给水设施及构筑物（阀门井、消火栓、洒水栓等）的具体做法。

2 站区室外排水管道安装图应包括下列内容：

1）平面图中绘制全部排水管网及水工建（构）筑物，并标注指北针、比例；

2）排水管道应标明管道长度、管径、流向、坡度、检查井及编号、雨水口、跌水井等，并注明其定位坐标；

3）说明管材及接口、管道基础、图例符号说明，管道安装与施工应遵守的规范等，井盖形式、标准图号等；

4）标明小型排水构筑物（检查井、雨水口、跌水井、化粪池、隔油池等）的具体做法；

5）纵断面图或管道高程表中标明排水管道的检查井或其他排水构筑物编号、间距、排水管道的管径、坡度、设计地面标高、管内底标高、管道埋深等；

6）支管明细表将各建筑物排水出户管、电缆沟排出管、各含油设备的排油支管的管径、长度、坡度、设计管底标高等绘制成表格；如在纵断面图中已表示排水支管，可不出明细表。

3 污水处理工艺流程及布置图应包括下列内容：

1）简要说明污水处理工艺流程、处理水量、处理后的水质指标、设备特性、运行控制方式、设备与管道的施工与维护要求等；

2）工艺流程图中标明系统中设备、管道及构筑物的连接和运行方式，工艺流程中设备及构筑物之间水位标高关系；

3）设施（备）平面图中应标出其坐标、方位、尺寸，设备及管道布置；

4）设施（备）剖面图中应标出管径、标高、水位等。

4　事故油池安装图应包括下列内容：

1）事故油池平、剖面图中应标出油池的坐标、方位、尺寸，管道的布置、管径和标高；

2）简要说明事故排油管道安装及防腐方法等。

5　雨水泵站安装图应包括下列内容：

1）平面图中应标明泵房（站）（含阀门井）的坐标、方位和尺寸，水泵和管道布置、管径等；说明排水泵的配置及运行控制方式，管道材质、接口及防腐等；

2）剖面图中绘出水泵剖面尺寸、标高，水泵轴线、管道、阀门安装标高，各控制水位等；

3）应有设备的安装运行说明，泵房管道安装与施工应遵守的规范等；

4）水泵安装图中应标明基础的预留孔洞和埋件尺寸、位置；雨水泵外形和各种接口尺寸，安装尺寸及地面标高。还应标明雨水泵规格、型号、重量等。

6　站外排水管道安装图应包括下列内容：

1）绘制站内排水管网终端检查井及站外排水管道布置图，含指北针、比例；

2）排水管道应标明管道管径、坡度及设计管底标高、每段管道长度及流向、检查井及编号、跌水井等；

3）排水管道绘制纵断面图或高程表，标明排水管道的检查井或其他排水构筑物编号、间距、排水管道的管径、坡度、设计地面标高、管内底标高、管道埋深等；简单高程可将上述内容（管道埋深外）直接标注在平面图上，不列表；

    4）说明管材及接口、管道基础、图例符号说明，管道安装与施工应遵守的规范等，井盖形式、标准图号等。

6.2.3 计算内容包括用水量和排水量计算、给水管网水力计算、排水管网水力计算、调节池容积及污水处理设施（备）计算、事故油池容积计算、雨水泵选型计算、雨水泵房（站）容积计算等。

6.2.4 计算深度应符合下列规定：

    1 用水量和排水量计算，包括生活、消防、生产用水量和排水量计算；

    2 给水管网水力计算，根据用水量，通过水力计算得出管径，求出沿程和局部水头损失及静扬程后，推算出供水设备的扬程；

    3 排水管网水力计算，计算站区暴雨量，划分汇水面积，计算排水管道管径和相应的坡度；

    4 调节池容积及污水处理设施（备）计算，根据生活污水负荷变化进行调节池容积计算，根据生活污水量进行污水泵容量选型计算和确定污水处理设施（备）型号；

    5 事故油池容积计算，根据所接纳的最大单台含油设备的油量按规范要求确定事故油池容积；

    6 雨水泵选型计算，根据站区雨水设计流量确定雨水泵流量，根据排水点最高水位确定雨水泵扬程。若站区雨污水合流的，则要考虑污水排水量；

    7 雨水泵房（站）集水池容积计算，根据选定的最大一台雨水泵流量参数确定集水池容积。

6.3 室内给排水

6.3.1 图纸内容包括室内各层给排水管道平面图、室内给排水管道系统图、屋顶水箱安装图等。

6.3.2 图纸深度应符合下列规定：

    1 室内各层给排水管道平面图应包括下列内容：

  1）说明管材及接口，管道防腐方法，室内±0.000相对
   绝对标高值，图例符号说明，管道安装与施工应遵守
   的规范；

  2）图中标明各卫生设备和管道的位置与管道管径，与室外
   管道接口处的管口位置和管径。

 2 室内给排水管道系统图应包括下列内容：

  1）以建筑物为单位，标出每一根给、排水立管和支管、进出
   室内给、排水管道和立管的编号和穿越外墙轴线的编号；
   对表示各种管道的符号加以说明；

  2）图中应标明各层管道的标高与管径，与室外管道接口处
   的标高与管径，排水管道还应标明管道的坡度。如果室
   内给排水管道系统图采用管道展开系统图，则图中不需
   要标明各层管道的标高。

 3 屋顶水箱安装图。包括平面位置、尺寸和方位，水箱外形
和各种接口尺寸；应标明水箱型号、材质、安装高度及固定方式等。

6.3.3 计算内容包括设计流量及管道水力计算、水箱容积及设置
高度计算等。

6.3.4 计算深度应符合下列规定：

 1 生活用水量及管道水力计算应包括下列内容：

  1）室内用水量计算包括生活用水、生产人员淋浴用水、暖通
   用水、消防用水等；

  2）根据水力计算得出给水及排水管道管径。

 2 生活水箱容积及设置高度计算应包括下列内容：

  1）应按调节水量、储备水量计算确定水箱容积；

  2）水箱的设置高度应使其最低水位的标高满足最不利配水
   点的流出水头要求。

6.4 综合水泵房及水池安装图

6.4.1 图纸内容包括综合水泵房及水池平面布置图、综合水泵房

及水池剖面图、主要设备(水泵、给水机组、气压罐等)安装图等。

6.4.2 图纸深度应符合下列规定：

    1 综合水泵房及水池平面布置图应包括下列内容：

        1）应标注综合水泵房和水池的坐标，主要设备和管道的平面布置、管道规格等；

        2）绘出综合水泵房、水池的形状、工艺尺寸、进水、出水、泄水、溢水、透气、水位计、水位信号传输管等平面布置位置；

        3）绘出各种设备基础尺寸，相应的管道、阀门、附件尺寸及标高等；

        4）说明设备的运行控制方式，管道试验压力，管道防腐方法及敷设要求，泵房管道安装与施工应遵守的规范等；各种附件(管道支吊架，通风帽、吸水喇叭口等)的具体做法；

        5）列出主要设备材料表。

    2 综合水泵房及水池剖面图应包括下列内容：

        1）标明泵房和主要设备和管道的剖面布置，标高；

        2）绘出水泵基础剖面尺寸、标高，水泵轴线、管道、阀门安装标高，防水套管位置及标高。水池内最高水位、最低水位、消防储备水位等。

    3 主要设备(水泵、给水机组、气压罐等)安装图。标明基础的预留孔洞和埋件尺寸、位置、水泵和电动机本体的外形尺寸、水泵进出口位置、标高，还应标明水泵和电动机规格、型号、重量等。

6.4.3 计算内容包括生活水泵、生产水泵及消防水泵的流量和扬程计算和生产水池及消防水池的容积计算等。

6.4.4 计算深度应符合下列规定：

    1 生活水泵(自动变频给水机组)流量、扬程计算，根据生活用水量及所需压力确定生活水泵(自动变频给水机组)的流量和扬程；

    2 生产水泵流量、扬程计算，根据生产用水设计流量及所需

压力确定生产泵的流量和扬程;

3 消防水泵流量、扬程计算,根据室内外消火栓或换流变压器、平抗(含油)水喷雾消防设计流量及所需压力确定消防泵的流量和扬程;

4 生产水池容积计算,根据水源情况、输水管道抢修能力、生产用水量确定生产水池有效容积;

5 消防水池容积计算,根据室内外消火栓或换流变压器、平抗(含油)水喷雾消防用水量确定消防水池有效容积。

6.5 阀冷却系统

6.5.1 图纸内容包括设计说明、设备材料表、系统流程图、平面布置图和剖面图、详图、管道轴测图、设备基础及预埋件布置图。

6.5.2 图纸深度应符合下列规定:

1 设计说明,应包括系统简述、内、外冷主要技术参数、施工安装要求及注意事项、施工和验收应遵循的有关国家和行业规程和规范、运行、维护说明等方面的内容。

2 设备材料表,汇总主要设备和材料,并应注明序号、名称、型号与规格、单位、数量等。其中设备规格应列出设备的主要技术参数、容量等,备注栏中注明设备安装房间或位置、主要材料的用途等。

3 系统流程图应包括下列内容:

1)单线绘制所有设备,包括密闭蒸发式冷却塔或空气冷却器、精混床离子交换器、冷却水循环水泵、脱气罐、膨胀罐、氮气罐、机械式过滤器、水箱、补充水泵、喷淋水泵、喷淋水软化装置、喷淋水加药装置、喷淋水砂过滤器、反渗透水处理装置、电加热器等;

2)单线绘制所有管道,包括冷却水管道、去离子水管道、喷淋水管道、加药管道、补充水管道、排气管道、排污管道等;

3）绘制所有阀门、仪表（水温、水压、水流量）及传感器（水温、水压、水流量、电导率、液位、溶解氧、室外气温、阀厅温度）；

4）流程图上应标注管径、介质流向以及设备、阀门、仪表及传感器编号等；

5）列出阀门、仪表及传感器汇总表；

6）绘制图例。

4　平面布置图和剖面图应包括下列内容：

1）绘制与设备及管道布置相关的建筑内外墙、门窗、梁柱、楼板、屋面、平台、地坑、楼梯、排水沟等；

2）绘制所有设备，包括密闭蒸发式冷却塔或空气冷却器、精混床离子交换器、冷却水循环水泵、脱气罐、膨胀罐、氮气罐、机械式过滤器、水箱、补充水泵、喷淋水泵、喷淋水软化装置、喷淋水加药装置、喷淋水砂过滤器、反渗透水处理装置、电加热器、配电控制盘（柜）等；

3）双线绘制所有管道，包括冷却水管道、去离子水管道、喷淋水管道、加药管道、补充水管道、排气管道、排污管道等；

4）绘制所有阀门，温度计、压力表、流量计等；

5）应标注建筑轴线编号、轴线尺寸，地面或楼面、屋面标高，房间名称，设备、管道及支吊架的定位尺寸，设备的外形尺寸，管段管径，管段编号、介质流向、管道支吊架编号、设备编号等。

5　详图的绘制应表示对部件尺寸、材料的要求和数量，并有制作或安装要求等方面的说明，应包括下列内容：

1）分水器、集水器接管尺寸图；

2）设备安装图，应绘制设备外形，基础外形，地脚螺栓孔，二次灌浆孔，应标注设备外形尺寸，基础外形尺寸，地脚螺栓孔尺寸和深度，地脚螺栓规格等。当有国标图集可套

用时,可不出图;

  3)非标准构件详图;

  4)设备与管道布置局部放大图;

  5)设备、管道支吊架详图,当有国标图集可套用时,可不出图。

 6 管道轴测图应包括下列内容:

  1)绘出所有设备,包括密闭蒸发式冷却塔或空气冷却器、精混床离子交换器、冷却水循环水泵、脱气罐、膨胀罐、氮气罐、机械式过滤器、补水箱、补充水泵、喷淋水泵、喷淋水软化装置、喷淋水加药装置、喷淋水砂过滤器、反渗透水处理装置、电加热器等;

  2)绘出所有管道,包括冷却水管道、去离子水管道、喷淋水管道、加药管道、补充水管道、排气管道、排污管道等;

  3)绘出所有阀门,温度计、压力表、流量计等;

  4)标注管径、坡向、坡度、标高、管段编号、介质流向、管道支吊架编号、设备编号等,放气管及放气阀,泄水管及泄水阀,并说明管段编号规则;

  5)列出管道及管件表。

 7 设备基础及预埋件布置图应包括下列内容:

  1)标注室、内外设备基础外形尺寸及定位尺寸,设备荷重、地脚螺栓孔尺寸和深度;

  2)标注室内地面沟道宽度、深度及定位尺寸;

  3)绘出建构筑物墙上、地面、屋面及屋架上预埋铁及预埋管,预埋铁应表示其材料、外形尺寸、定位尺寸及所承载的荷重,预埋管应表示其材料、管径及壁厚、定位尺寸;

  4)说明对土建施工的要求,如平整度误差、表面涂层、贴瓷砖、防腐处理等。

6.5.3 计算内容包括设备选型计算、管道水力计算、膨胀水箱容积计算、外冷水系统蒸发水量和排污损失量计算。

6.5.4 计算深度应符合下列规定:

1 设备选型计算,根据换流阀散热量、换流阀进、出口水温要求、冷却水流量、室外气象参数、室外换热设备(空冷器或密闭蒸发式冷却塔)的传热系数计算所需的换热面积,再根据计算结果进行设备选型;

2 管道水力计算,根据水管道长度、管径、流量、阀门及水管局部构件的情况分别计算内、外冷管道水阻,用于确定主循环水泵、喷淋水泵的扬程;

3 阀冷却系统膨胀水箱容积计算,根据内冷水系统总水容量、最高和最低水温计算水的膨胀量,确定膨胀水箱的容积和尺寸;

4 外冷水系统蒸发水量和排污损失量计算,当外冷系统采用水冷方案时,根据总散热量、水的汽化潜热、汽化潜热损失率计算喷淋水系统的蒸发水量,再根据蒸发损失量和浓缩倍数计算排污损失量。

6.6 变压器及平波电抗器消防系统

6.6.1 图纸内容包括变压器(包括换流变压器、交流变压器)、平波电抗器(含油)灭火系统原理图,变压器(包括换流变压器、交流变压器)、平波电抗器(含油)水喷雾消防管道平、剖面图,消防管道系统图,喷头喷水支管安装图等。若变压器(包括换流变压器、交流变压器)、平波电抗器(含油)采用合成泡沫灭火方式,深度参照此条执行。

6.6.2 图纸深度应符合下列规定:

1 变压器(包括换流变压器、交流变压器)、平波电抗器(含油)灭火系统原理图。对变压器(包括换流变压器、交流变压器)、平波电抗器(含油)消防方式在灭火机理、系统工作原理等做出说明。

2 变压器(包括换流变压器、交流变压器)、平波电抗器(含油)水喷雾消防管道平、剖面图应包括下列内容:

1）管径、管材及接口、工作压力、试验压力、管道走向、防腐措施、面漆颜色等具体要求；

2）雨淋阀及其他阀门的安装位置（如有雨淋阀间，单独出一张图）、定位尺寸等；

3）管径、标高、管道走向等具体要求；标明喷头的安装位置、安装角度、标明支吊架位置等。

3 变压器（包括换流变压器、交流变压器）、平波电抗器（含油）消防管道系统图。标明管径、管道走向、管道标高、喷头布置等具体要求。

4 喷头喷水支管安装图。标明喷头与配水支管的连接方式及详图。

6.6.3 计算内容和计算深度应符合下列规定：

1 计算内容包括管道水力计算；

2 管道水力计算应通过计算确定管道的管径以及消防水泵的流量、扬程。

6.7 站内消防设施配置图

6.7.1 图纸内容包括设计说明、建筑物各层的灭火器平面布置图、消防小室平面布置及详图、灭火器配置明细表。

6.7.2 图纸深度应符合下列规定：

1 设计说明，说明灭火器配置的设计依据、灭火器类型规格、使用范围、设置要求、日常维护等；

2 建筑物各层的灭火器平面布置图，根据建筑物各层的平面图，按现行的有关规范配置灭火器并标注定位尺寸，明确灭火器的布置形式；

3 消防小室平面布置及详图，标明室外推车式灭火器、灭火工具及消防沙箱的布置，灭火器类型规格、数量等；

4 灭火器配置明细表，标明灭火器和灭火工具的类型规格、数量等。

6.7.3 计算内容和计算深度应符合下列规定：

1 计算内容包括灭火器器材配置；

2 灭火器器材配置计算应根据配置场所的火灾种类、危险等级、保护面积等确定各建筑物及室外的灭火器配置种类和数量。

6.8 站 用 水 源

6.8.1 图纸内容包括深井泵池（泵房）平剖面图、深井泵安装图（如果有）；取水工程总平面图、取水泵房平面布置图、取水泵房剖面图、主要设备（水泵、真空水箱、气压罐等）安装图、取水头部（取水口）平面、剖面及详图（如果有）；给水净化处理的工艺流程图、平面及高程布置图、主要设备（净水器或沉淀/过滤器、加药、消毒设备等）及管道安装图等（如果有）。

6.8.2 图纸深度应符合下列规定：

1 深井泵池（泵房）平剖面图应包括下列内容：

    1）标明泵房的坐标，主要设备和管道的平面布置、管道规格等；

    2）绘出水泵基础剖面尺寸、标高，水泵吸水口/出水口，深井内动水位/静水位，管道、阀门安装标高，防水套管位置及标高，深井及其做法；

    3）应有深井施工要求（含出水流量、含砂量、水质等）；

    4）应有设备的运行控制说明，管道试验压力，管道防腐方法及敷设要求，泵房管道安装与施工应遵守的规范等。

2 深井泵安装图。标明基础的预留孔洞和埋件尺寸、位置；水泵和电动机本体的外形尺寸、水泵进出口位置、标高，还应标明水泵和电动机规格、型号、重量等。

3 取水工程总平面图应包括下列内容：

    1）标注取水工程区域内（包括河流及岸边）的地形等高线、取水头部、吸水管线（自流管）、集水井、取水泵房、栈桥、转换闸门及相应的辅助建筑物、道路的平面位置、尺寸、坐标、管道的管径、长度、方位等；

  2）列出建(构)筑物一览表。

 4 取水泵房平面布置图应包括下列内容：

  1）标注泵房和取水头部的坐标，主要设备和管道的平面布置、管道规格等；

  2）绘出泵房、取水头部的形状、工艺尺寸、进水、出水、水位计、水位信号传输管等平面布置位置；

  3）绘出各种设备基础尺寸(包括地脚螺栓孔位置、尺寸)，相应的管道、阀门、附件、仪表、配电、起吊设备的关键位置、尺寸、标高等；

  4）说明设备的运行控制，管道试验压力，管道防腐方法及敷设要求，泵房内设备及管道安装与施工应遵守的规范等；说明各种附件(管道支吊架，通风帽、吸水喇叭口等)的具体做法；

  5）列出主要设备材料表。

 5 取水泵房剖面图应包括下列内容：

  1）标注泵房和主要设备及管道的剖面布置、标高；

  2）绘出水泵基础剖面尺寸、标高，水泵轴线、管道、阀门安装标高，防水套管位置及标高；标注水体的最高水位、最低水位等。

 6 主要设备(水泵、真空水箱、气压罐等)安装图。标明基础的预留孔洞和埋件尺寸、位置、水泵和电动机本体的外形尺寸、各种接口尺寸，安装尺寸及地面标高。还应标明设备规格、型号、重量等。

 7 取水头部(取水口)平面、剖面及详图应包括下列内容：

  1）绘出取水头部所在位置及相关河流、岸边的地形平面布置，图中标明河流、岸边与总体建筑物的坐标、标高、方位等；

  2）应详细标明各部分尺寸、构造、管径和引用详图等。

8 给水净化处理的工艺流程图应包括下列内容：

    1) 说明原水的水质情况、需采取的净化处理措施；

    2) 绘制工艺流程，明确设备、管道的设计参数；

    3) 绘制自动加药系统的控制原理图。

9 平面及高程布置图应包括下列内容：

    1) 应根据确定的设备设计资料，确定给水净化主要设备的平面布置，明确定位坐标、连接管道的管径；

    2) 标明给水净化主要设备及构筑物之间的标高、流程关系，含设备及配管的高程；

    3) 绘出水泵基础剖面尺寸、标高，水泵轴线、管道、阀门安装标高，防水套管位置及标高；标注最高水位、最低水位等。

10 主要设备（净水器或沉淀/过滤器、加药、消毒设备等）安装图。标明设备的材质、设备净重及运行重量、外形尺寸、配管位置及管径等。

6.8.3 计算内容包括深井水泵流量、扬程计算，取水水泵流量、扬程计算，水处理设备的选型计算。

6.8.4 计算深度应符合下列规定：

    1 深井水泵流量、扬程计算，根据站区用水量及所需压力确定深井水泵的流量和扬程；

    2 取水水泵流量、扬程计算，根据站区用水量及所需压力确定取水水泵的流量和扬程；

    3 水处理设备的选型计算，根据站区用水量、水源水质、水处理设备自用水量等计算。

6.9 油罐区油系统

6.9.1 图纸内容包括油罐区输油系统图、设备布置图、油罐区管道布置图。

6.9.2 图纸深度应符合下列规定：

    1 油罐区输油系统图应包括下列内容：

1）简述输油系统，包括工艺流程、主要设备参数等；

2）标明绝缘油罐、油泵（移动式或固定式）、管道、阀门及其他附件之间的相互关系。

2　设备布置图应包括下列内容：

1）平面图中绘制油罐及防火堤的坐标、尺寸，并标注指北针、比例；

2）立面图中绘出油罐及基础、防火堤等高度，地面标高等；

3）绘出油罐区排水沟布置。

3　油罐区管道布置图。绘出油罐的进油管、出油管、泄空管、人孔、空气过滤器、液位计等平面布置位置、管径及标高。绘出油罐区排水管道布置、坡度、管径及设计管底标高、流向、阀门井等。

7 采暖通风及空调

7.1 施工图设计说明及主要设备材料清册

7.1.1 施工图设计说明及主要设备材料清册内容包括采暖通风及空调施工图设计说明、卷册目录和主要设备材料清册。

7.1.2 施工图设计说明及主要设备材料清册深度应符合下列规定：

    1 采暖通风及空调施工图设计说明应包括下列内容：

      1）主要设计依据；

      2）工程建设规模、工程概况，明确设计范围，改、扩建工程应说明原工程规模和本期工程范围以及接口情况；

      3）室外气象参数及室内设计参数；

      4）设计和施工验收应遵循的国家和行业规程和规范；

      5）采暖通风及空调主要设计原则；

      6）各建筑物采暖通风及空调系统，集中采暖和空调系统应有主要设备参数；

      7）施工安装要求及运行注意事项。

    2 卷册目录应列出采暖通风及空调施工图卷册目录，包括所有分册的名称和编号。

    3 主要设备材料清册应按建筑物汇总全站采暖通风及空调施工图各卷册的主要设备和材料，包括名称、型号与规格、单位、数量及备注。

7.2 采暖系统

7.2.1 图纸内容包括设计说明、电锅炉房工艺系统流程图、建筑物采暖系统图、采暖平面布置图、室外热水管网平/剖面图、室外热水管网纵断面图、采暖大样图、主要设备和材料表。

7.2.2 图纸深度应符合下列规定：

　　1　设计说明应包括下列内容：

　　　　1）室内、外设计参数；

　　　　2）施工和验收应遵循的有关国家和行业规程和规范；

　　　　3）采暖方案，集中供热系统应包括系统形式及主要设备、热源情况、热媒参数、总热负荷；

　　　　4）施工安装要求及注意事项；

　　　　5）对于集中供热系统，应包括运行、维护及管理等方面的内容；

　　　　6）说明套用的标准图。

　　2　电锅炉房工艺系统流程图。应表示设备、管道、阀门、仪表、传感器或变送器、水管管径、介质流向、设备编号、主要设备的技术参数及数量、图例等。

　　3　建筑物采暖系统图。应表示设备、管道、阀门、仪表、固定支架、管径、管道标高、管道坡向及坡度、散热器型号或片数、设备编号（不包括散热器）、图例等。

　　4　采暖平面布置图应包括下列内容：

　　　　1）绘出设备、管道、固定支架、阀门等。建筑物平面图中间层完全相同时，可只绘制底层、顶层及标准层平面；平面图上应标注指北针、散热器片数或长度、设备编号（不包括散热器）、室内设计温度。有特殊要求的热力入口应绘制局部放大图；

　　　　2）电锅炉房的平面图还应包括水泵等附属设备、水箱、仪表、设备配电控制盘（柜）的布置。

　　5　室外热水管网平/剖面图应包括下列内容：

　　　　1）地形、建筑物及道路；

　　　　2）沟道、管架、检查井、固定支吊架以及与本专业相关的其他专业的沟道、管道、管架等；

3）应标注指北针（仅平面图）、建筑物名称、管道或管沟的坐标、入口与建筑物的定位尺寸，地形、建筑物及道路标高，沟道的规格尺寸、管架标高，管径、管道标高、坡向、坡度、管道定位尺寸和标高，检查井编号、补偿器编号、节点编号，检查井、补偿器、固定支架的定位尺寸；

4）宜填补偿器选用表（包括补偿器名称、管道名称或编号、管径、补偿器型号等）。

6 室外热水管纵断面图应符合下列要求：

1）纵断面图应沿管道或沟道敷设方向剖切；

2）纵断面图可通过对管线或管沟线的纵向剖面图在同一平面上进行展开的方法绘制，并在管道或沟道改变方向时建立节点，并对节点进行编号，标明转向的方向和角度；

3）纵断面图应绘制管井、地形线，并建立标高坐标尺；

4）纵断面图宜在图面正下方对应标注设计地面标高、管道中心标高、沟道底标高、管段管径规格、沟道断面尺寸规格、管段或沟道的长度、管道或沟道的坡度等。

7 采暖大样图应包括下列内容：

1）对于无标准图集套用的设备安装图和管道支吊架、非标准构件详图应绘制大样图，并提出施工要求及做法；

2）热水管网检查井大样图应表示检查井的构造，人孔、爬梯、排水坑的设置，管道布置、阀门的设置等；管网节点详图应表示节点处设备、管道、阀门等布置。

8 主要设备和材料表。按编号注明各主要设备和材料的规格和型号、数量及性能参数，并注明有特殊要求的设备及材料。

7.2.3 计算内容包括建筑物外维护结构热工性能计算、各采暖房间热负荷计算、采暖管道水力及平衡计算、采暖设备选型计算以及热水管道补偿器选型计算。具体工程可视需要增减。

7.2.4 计算深度应符合下列规定：

1 建筑物外维护结构热工性能计算，根据建筑资料验算是否

满足节能标准及室内不结露的要求,并计算维护结构传热系数;

2 各采暖房间热负荷计算,根据采暖室外计算温度、室内设计温度、围护结构传热系数、房间朝向、高度等计算房间采暖热负荷;

3 采暖管道水力及平衡计算,仅限严寒地区采用电锅炉集中采暖的系统,根据管道长度、管径、流量、阀门及水管局部构件的情况计算最不利回路的水阻力损失,对于较大的系统则要进行水力平衡计算;

4 采暖设备选型计算,确定采暖方案,根据热负荷、热媒参数、管道阻力损失、设备的性能进行选型计算;

5 热水管道补偿器选型计算,根据水管长度、热媒温度,补偿器安装处的温度计算所需补偿量,结合管道补偿器布置空间进行经济比较选择合适的补偿器。

7.3 通风及空调

7.3.1 图纸内容包括设计说明、集中空调系统流程图、通风和空调平面图、通风和空调剖面图、通风和空调详图、空调冷冻(热)水管道系统图、主要设备和材料表。

7.3.2 图纸深度应符合下列规定:

1 设计说明应包括下列内容:

1)室内、外设计参数;

2)施工和验收应遵循的有关国家及行业规程和规范;

3)通风及空调方案,集中空调系统应包括系统型式及主要设备、冷/热源情况、冷/热媒参数、冷/热负荷、运行控制方案;

4)施工安装要求及注意事项;

5)对于集中空调系统,还应包括运行、维护及管理等方面的内容;

6)套用的标准图。

2 集中空调系统流程图。应表示设备、水管及风管、水阀及风阀、仪表、传感器及变送器、风管及水管管径、介质流向、设备编号、主要设备的技术参数及数量、图例等。

3 通风和空调平面图。应表示设备、风管及水管、水阀及风阀、仪表、设备外形及定位尺寸、风管及风口定位尺寸,风管断面尺寸、水管管径、介质流向、设备配电控制盘(柜)、设备编号等。

4 通风和空调剖面图。应绘出平面图中未能表达清楚的标高、尺寸,还应表示出设备、风管、风口、水管等与建筑梁、楼板及地面的尺寸关系。

5 通风和空调详图应表示对部件尺寸、材料的要求和数量,并有制作或安装要求等方面的说明,应包括下列内容:

  1)绘制设备安装图,应绘制设备外形,基础外形,地脚螺栓孔,二次灌浆孔,应标注设备外形尺寸,基础外形尺寸,地脚螺栓孔尺寸和深度,地脚螺栓规格等。当有国标图集可套用时,可不出图;

  2)绘制非标准构件详图;

  3)绘制风管、水管、设备支吊架详图,当有国标图集可套用时,可不出图。

6 空调冷冻(热)水管道系统图。当平面图、剖面图及设备安装详图可以清楚表达设备及管道布置时,可不绘制系统图。如需要绘制,图上应表示设备、管道、阀门、仪表、管径、管道标高、管道坡向及坡度、设备编号、图例等。

7 主要设备和材料表。汇总主要设备和材料,并应注明名称、型号与规格、单位、数量。其中设备规格应列出设备的主要技术参数、容量等,备注栏中注明设备安装房间或位置、主要材料的用途等。设备或部件制作套用的标准图号表示在备注栏。

7.3.3 计算内容包括建筑物围护结构热工性能计算、通风量计算、排烟量计算、通风/空调风管阻力计算、空调热(冷)负荷计算、空调送、回风参数和送风量计算、气流组织计算、冷冻水(热)水管系统水力计算、空调设备选型与校核计算。

7.3.4 计算深度应符合下列规定：

1 建筑围护结构热工性能计算，验算建筑围护结构是否满足节能标准及室内不结露的要求，并计算其传热系数；

2 冷冻（热）水管道水力计算，根据管道长度、管径、流量、阀门及水管局部构件的情况计算最不利回路的水阻力损失，对于较大的系统则要进行水力平衡计算；

3 通风量计算，根据房间体积和设备散热、散湿量大小，考虑排除室内余热余湿和通风换气次数要求计算通风量，两者相比较取较大值；

4 排烟量计算，根据房间面积、体积、换气次数进行排烟量的计算；

5 通风/空调风管阻力计算，根据风管截面尺寸、风速及管道长度、风阀及风管局部构件情况计算风管阻力，管道较短的系统不需要计算风管阻力；

6 空调冷（热）负荷计算，根据围护结构得（失）热量、设备及仪表散热量、照明散热量、透过外窗进入室内的太阳辐射热量、人体散热量计算空调房间的冷（热）负荷。对于电气设备散热量占主要冷负荷的电气设备间，空调冷负荷可采用冷负荷指标计算；

7 空调送、回风参数和送风量计算，根据空调房间的热湿负荷、室内空气设计状态点及送风温差在焓湿图上确定送风状态点并查出送风状态点下的空气焓值，计算空调房间的送风量；

8 气流组织计算，根据送风口类型、送风速度、送风口高度、计算工作区风速；

9 空调设备选型与校核计算，根据空调冷（热）负荷、送风状态点焓值、送风量进行设备选型和校核计算。

本标准用词说明

1 为便于在执行本标准条文时区别对待，对要求严格程度不同的用词说明如下：

1）表示很严格，非这样做不可的：

正面词采用"必须"，反面词采用"严禁"；

2）表示严格，在正常情况下均应这样做的：

正面词采用"应"，反面词采用"不应"或"不得"；

3）表示允许稍有选择，在条件许可时首先应这样做的：

正面词采用"宜"，反面词采用"不宜"；

4）表示有选择，在一定条件下可以这样做的，采用"可"。

2 条文中指明应按其他有关标准执行的写法为："应符合……的规定"或"应按……执行"。

中华人民共和国电力行业标准

直流换流站施工图设计
内容深度规定

DL/T 5503—2015

☆

中国计划出版社出版

网址:www.jhpress.com

地址:北京市西城区木樨地北里甲 11 号国宏大厦 C 座 3 层

邮政编码:100038　电话:(010)63906433(发行部)

新华书店北京发行所发行

北京市科星印刷有限责任公司印刷

850mm×1168mm　1/32　4.25印张　107千字

2015 年 11 月第 1 版　2015 年 11 月第 1 次印刷

印数 1—3000 册

☆

统一书号:1580242·763

定价:39.00 元

ICS 27.100
P 62
备案号：J2063—2015

中华人民共和国电力行业标准

P   DL／T 5503—2015

直流换流站施工图设计
内容深度规定

Regulations for content and depth of detail
design of HVDC converter station

2015-07-01 发布   2015-12-01 实施

国家能源局   发布